Gameleira-branca

Gameleira-branca

Sofia Aroeira

jandaíra

Copyright © Sofia Aroeira, 2021

Todos os direitos reservados à Editora Jandaíra, uma marca da Pólen Produção Editorial Ldta., e protegidos pela Lei 9.610, de 19.2.1998. É proibida a reprodução total ou parcial sem a expressa anuência da editora.

Este livro foi revisado segundo o Novo Acordo Ortográfico da Língua Portuguesa.

DIREÇÃO EDITORIAL
Lizandra Magon de Almeida

COORDENAÇÃO EDITORIAL
Fernanda Marão

REVISÃO
Maria Ferreira

CAPA E PROJETO GRÁFICO
Alberto Mateus

ILUSTRAÇÃO DA CAPA
Carolina Itzá

DIAGRAMAÇÃO
Crayon Editorial

Maria Helena Ferreira Xavier da Silva/ Bibliotecária – CRB-7/5688

A769g	Aroeira, Sofia Gameleira-branca / Sofia Aroeira. – São Paulo : Jandaíra, 2021. Posfácio de Thais Rodegheri Manzano. 176 p. ; 21 cm.
	ISBN: 978-65-87113-45-6
	1. Ficção. 2. Literatura – brasileira. I. Título.

CDD B869.3

jandaíra

www.editorajandaira.com.br
atendimento@editorajandaira.com.br
(11) 3062-7909

Para Clara, Malu e Luiz

Quem me pariu foi o ventre de um navio
Quem me ouviu foi o vento no vazio
Do ventre escuro de um porão
Vou baixar no seu terreiro
Êpa raio, machado e trovão
Êpa justiça de guerreiro (...)

Yáyá Massemba
Roberto Mendes

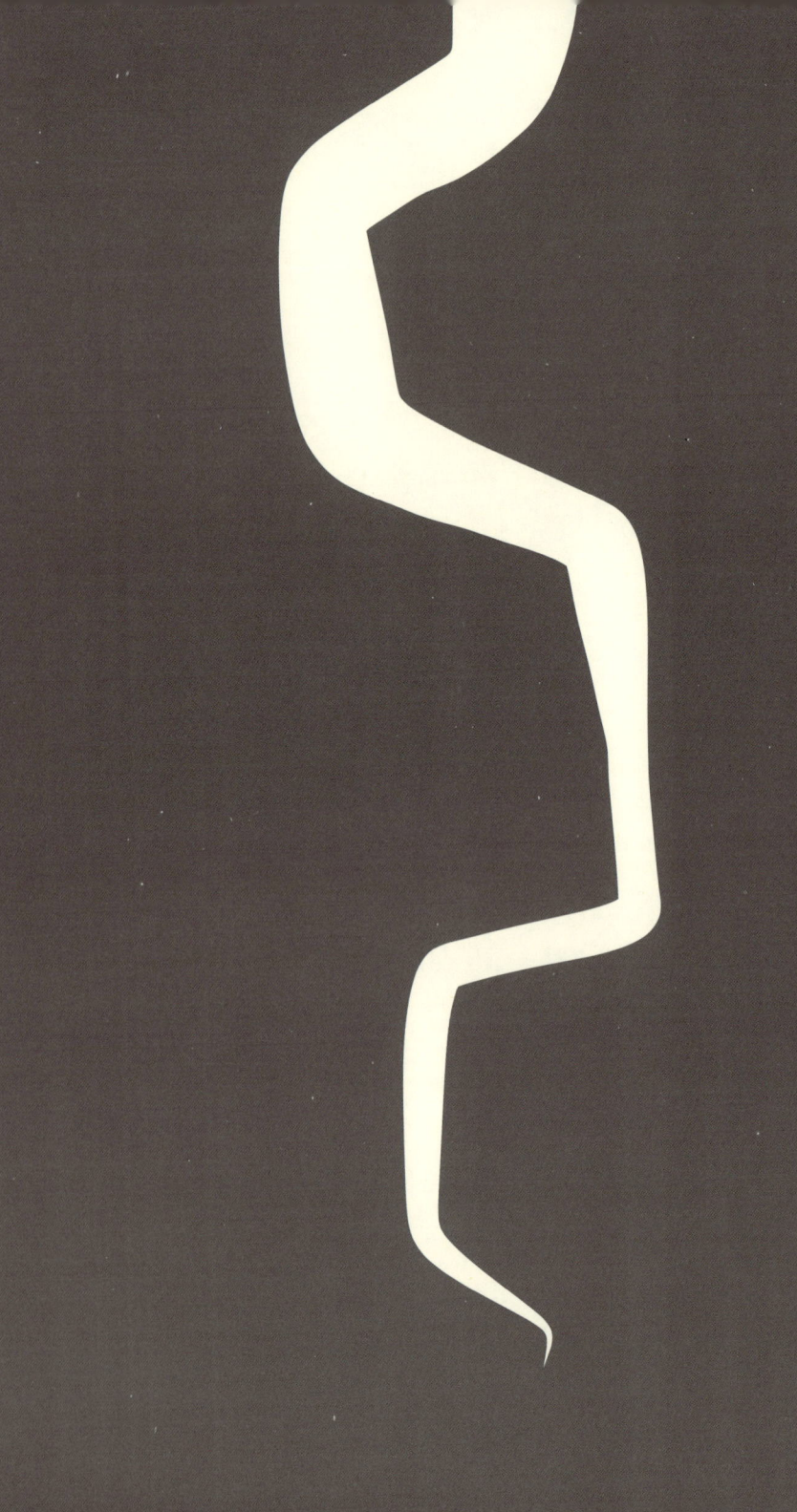

1
Sangue

Olho para as pílulas sobre a pia do banheiro. Quatro comprimidos brancos. Não tenho dúvidas, mas, ainda assim, medito por um momento, acho que ele merece alguns segundos de hesitação.

Ele. Por alguma razão, desde que soube o que me ocorreu me refiro a ele mentalmente através de pronomes masculinos. Talvez assim seja mais fácil livrar-me disso. Os remédios são a cura para essa espécie de parasitismo, para que ele escorra pelas minhas pernas e volte à condição anterior, na qual se encontrava há poucas semanas: uma inexistência inócua.

Não consta em nenhum código penal, mas já vivi o suficiente para saber e tenho translúcida a constatação: crime muito maior seria trazer a um mundo cada vez mais hostil mais uma criança abandonada. Lançar-nos a uma vida árida, cheia de espinhos, para percorrermos descalços e sem provisões quilômetros de chão pedregoso e fumegante, sob um sol impiedoso que não encontraria um mísero arbusto para opor-lhe sombra; seguindo desolados, apartados do mundo, evaporando aos poucos. Não faria isso conosco. Aos trinta anos sei que sou forte o bastante para nos poupar de tanta dor. Finalmente sou.

E por isso seguro os quatro comprimidos com a mão esquerda e com a direita coloco dois debaixo da língua – por mim, para me devolver o domínio do meu futuro – e mais um na parede de cada bochecha – por ele, para poupá-lo da angústia de nascer sem amor de mãe.

Levanto os olhos para o espelho, miro minha pele negra, enrolo os dedos nos cachos dos meus cabelos, desço as mãos e toco meus seios, seu pequeno volume. Sei que tenho um rosto expressivo e um corpo consistente, que têm uma graça particular.

Sinto curiosidade por mim mesma, pela minha substância, minha alma. Massa cinzenta, sinapses, neurotransmissores, batimentos cardíacos, peristaltismo, paredes de sangue que se descamam uma vez por mês. Para mim, carne e espírito sempre foram uma coisa só.

Quero me ver por inteiro. Tiro a regata velha e o shortinho de pijama, me estudo de calcinha. Deslizo os dedos pelas clavículas e a borda das axilas, pela parte interna dos braços, sobre as costelas, descendo pela barriga em direção ao umbigo, acarinhando minha pele, como costumo fazer antes de dormir ou como pedia que Arthur fizesse quando dormia comigo. E então me viro de costas, torço o tronco para olhar, vejo minha bunda repleta de listras, estrias brancas que nunca me geraram grande incômodo, são como o lembrete de um momento do início de minha adolescência, por volta dos onze anos, quando meus quadris se alargaram de repente.

Amélia teria atravessado esse período da vida como eu? Com muita surpresa, curiosidade e medo, em meio ao silêncio sólido daquela casa, pois Raquel nunca achou necessário explicar as mudanças pelas quais meu corpo passaria. Tampouco sua postura rígida abria espaço para diálogo. Com desgosto imaginei que sim, que Amélia tenha crescido quase exatamente como eu, já que naquela vila de pescadores o tempo nunca passa; nas poucas vezes que falei com a mãe pelo telefone nos últimos doze anos, só fiz confirmar o que já sabia: Raquel é sempre Raquel.

Em vinte minutos os comprimidos se dissolvem completamente na boca. Abro o pacote de absorventes noturnos, e coloco um. Dez minutos depois se iniciam as cólicas e o sangramento. Visto a roupa, tomo dois comprimidos de dipirona para a dor, deito encolhida debaixo das cobertas e fico quieta ali, a mente assaltada por uma cachoeira de lembranças.

A primeira vez que vi sangue de menstruação. Me assustei ao encontrar a mancha vermelha na roupa, não sabia do que se tratava, durante uma semana não saí do quarto, escondendo tecidos sujos que esfregava com desespero trancada no banheiro. Só podia estar à beira da morte.

Não pude relacionar aquele acontecimento grotesco com as famosas regras de Raquel, aquela semana que chegava todo mês para as mulheres de minha família, na qual não se podia lavar o cabelo e nem pisar descalça no chão, "pro sangue não subir pra cabeça". Naturalmente, quando ela descobriu o que tinha acontecido, me disse simplesmente que tinha virado moça, me explicou como se usava o absorvente, e passou a me submeter aos mesmos rituais. Cheiro de ferro, urucum de fecundidade manchando os dedos.

O gozo encharcado de lágrimas que gerou o embrião que agora precisa se extinguir, quando Arthur e eu já havíamos decidido nos separar. A quentura da pele branca estampada de tatuagens negras, a força dos dedos sobre a minha cintura, a urgência de tê-lo tão perto quanto fosse possível, o desespero de vivê-lo até que a intensidade nos transpassasse e nos deixasse uma marca definitiva...

Depois de meia hora, a cólica diminui e me toma uma fraqueza funda. Durmo.

Acordo com o telefone tocando. Leio no visor do celular o nome de minha mãe, aconteceu alguma desgraça. Minhas pernas pregam uma na outra. Atendo antes de olhar. Penso imediatamente em Amélia. "O que aconteceu?" – disparo sem cumprimentá-la. "Dora, sua avó não tá bem, o coração tá fraquinho, e ela tá batendo o pé que quer lhe ver antes de morrer."

Paro de ouvir o que diz. Da janela entreaberta do quarto vejo o céu escurecendo, a partida dos últimos raios de sol ainda deixa uma linha alaranjada no horizonte, mas quanto mais para cima caminham os olhos, mais as cores se tornam fúnebres, até alcançar a tonalidade densa de fumaça negra que esconde as estrelas –

Gameleira-branca

de onde estou não vejo a Lua. Também a luz de Dona Janaína está se apagando, e por incongruente que pareça, nunca acreditei que esse dia chegaria, ela me parecia uma esfinge. Minha avó sempre teve para mim a perenidade das boas histórias, a magia da curandeira, da bruxa. Nada acontecia a ela se não permitisse. Poderia, então, estar dando passagem para a morte? "Diga a ela que eu vou, Mainha, só preciso ajeitar as coisas no trabalho, amanhã ligo pra avisar o dia e a hora que chego." "Tá certo, fique com Deus."

Debaixo do meu quadril há uma poça de sangue. Já não sinto dores, mas estou fraca. Deixo as roupas sujas no chão do banheiro em um canto e, quando desço a calcinha, vejo sobre o absorvente uma bolsinha gelatinosa do tamanho de um grão de feijão, em meio a coágulos. O saco gestacional. Acabou.

Não quero tocar nisso. Encaro a massinha disforme, e me ocorre: isso não é uma pessoa. Era vivo e agora é morto, mas não é uma pessoa. Arranco o absorvente de uma vez, embolo, jogo no lixo. Tiro o saco plástico do cesto, corro com ele até a lavanderia. De volta ao banheiro, minhas pernas começam a coçar, o sangue seco forma uma crosta sobre a pele, e à medida que coço, se acumula sob minhas unhas. Esfrego uma mão na outra, para colocar as palmas quentes sobre os olhos, como oriento que as mulheres façam na sala de parto, entre as contrações; mas não consigo produzir calor, elas estão frias e pegajosas. Entro no box, ligo o chuveiro, me sento no chão. Observo a torrente avermelhada se espraiando sobre os azulejos brancos e descendo pelo ralo. Permito que cresça a bolha sob meu estômago, vácuo engolidor de porquês. Queria poder falar com alguém.

Queria poder dizer também sobre estar perdendo minha avó, a mulher que, a distância, sem nenhuma palavra audível, estendia seus dedos mágicos até mim e me cuidava; trazia com os velhos pés o seu espírito e me visitava em sonho, momentos em que tínhamos longas e profundas conversas, nas quais sempre prometia vê-la em breve. Não suspeitava que essa visita poderia ser a última.

Mas não fui criada para remoer o irremediável. Visto um pijama limpo, coloco as peças ensanguentadas de molho numa bacia com água e sabão e troco a roupa de cama.

Antes de dormir, posto no grupo de WhatsApp do Hospital as datas dos plantões que darei nas próximas duas semanas, procurando enfermeiros ou enfermeiras que possam me substituir. Não será tarefa difícil; com a crise econômica em pleno vigor e os níveis crescentes de desemprego, os profissionais andam se estapeando por um plantão.

2
Cavalo de Troia

Painho me contou como foi o dia do meu nascimento.

Raquel tinha vinte e nove anos e três filhos homens, um de oito, um de cinco e um de quatro anos de idade. Apesar de eu ter sido sempre a mais miúda, dizem que a barriga que me abrigou foi a maior e mais pontuda, todos tinham certeza de que o quarto varão estava a caminho.

Naquele dia acordou cedo com algumas dores no baixo ventre, mas não se preocupou. Levantou-se, fez o café, colocou as roupas que tinha que lavar de molho. Quando o pai a flagrou em meio a seus afazeres, agachada com as mãos agarradas na pia, ofegando de olhos fechados, disse: "mulher, por que não avisou para chamar o dr. Nilton? Ficou maluca? O menino já deve estar chegando". Acomodou-a no sofá e mandou que meu irmão mais velho, Tonico, corresse até a casa do médico, que morava naquela mesma rua, alguns quarteirões à frente.

O falecido dr. Nilton – vi numa fotografia que Raquel guarda como um bibelô – era um homem careca, com um nariz de batata, óculos de aros pretos e grossos. Examinou minha mãe e disse que a criança ainda demorava quatro ou cinco horas para nascer. Imagino Raquel pensando que não falta muito tempo, tem que terminar de enxaguar e estender toda aquela roupa, para não deixar manchar, nem mofar. Caminha até o tanque e esfrega as peças, dando pausas quando a barriga endurece e uma pontada mais intensa ferroa a coluna. Para então, com os braços apoiados na pedra, respira fundo, e meio minuto depois, quando a dor diminui, torna a esfregar. Consegue pendurar todas as roupas no varal antes de começar a gritar e o dr. Nilton ter que ser chamado de volta.

O médico tem tempo somente de me aparar e cortar o cordão umbilical. Me enrola numa toalha e pronuncia as palavras: "é uma menina". Se foi o que disse, a informação se dissolveu no mormaço da uma da tarde e jamais foi assimilada por Raquel. Com exceção da divisão das tarefas domésticas, que cabiam todas a ela e a mim, sempre me tratou com a mesma brutalidade e um pouco mais da indiferença que destinava aos meus irmãos. Deixava que batessem em mim como se eu fosse um garoto da idade deles.

Talvez a dureza de minha mãe, seus pés fincados como raízes, seu tronco emborcado e cascudo como as árvores do cerrado; talvez a constatação de que aquela era a mãe possível, porque foi a que tive; talvez o borrão que existe em minha mente sobre a palavra mãe; talvez alguma dessas coisas ou a soma delas tenha feito com que eu atasse um vínculo tão forte com Valentina.

Valentina, como todos os bebês desejados atualmente. Valentina que, como eu, se revelou um presente de grego, um cavalo de Troia.

Conheci-a em meio a alguns plantões de Pediatria. Cheguei ao Hospital pela manhã e fui logo organizando as prescrições e os pedidos de exames. Quando me dirijo ao seu leito para coletar sangue, encontro a menina de sete anos sentada sozinha na cama daquele quarto de paredes amarelas descascadas, com uma boneca de pano apertada nos braços. É a única pessoa acordada ali, nas outras duas camas os pequenos pacientes e suas mães, recostadas em cadeiras, dormem profundamente. Vejo-a em meio à penumbra, mal iluminada pela luz do corredor que joga alguns raios para dentro do cômodo escuro. Quando vislumbra minha silhueta na porta, sorri com seus dentinhos tortos. Valentina é uma criança com Síndrome de Down, tem longos cabelos lisos e castanhos, que gosta que amarremos em duas marias-chiquinhas. Não avisto sua mãe em nenhuma parte e por isso decido aguardar – evitamos realizar procedimentos em menores sem a presença de um responsável.

Comento sobre a garota solitária, e uma colega explica: "ontem foi a mesma coisa, Dora, a mãe só apareceu no final do dia". Seria estranho realizar a coleta na menina desacompanhada, mas fazer o quê, o laboratório chega para transportar as amostras em vinte ou trinta minutos. Vou até o leito, brinco com a sua boneca, peço que segure bem o neném para fazermos o exame, simulo que realizo o procedimento no bracinho de pano. E então digo com a maior delicadeza que sou capaz de imprimir na voz: "agora é sua vez, Valentina". Para minha surpresa, a garota estende o braço e continua sorrindo enquanto eu espeto a agulha e encho os tubos com as gotinhas de sangue. Quando termino, deixo duas balinhas em suas mãos e me despeço dando um beijo no topo de sua cabeça.

Um choro incessante preenche os corredores daquele andar. Na outra ponta, tosse de criança com o peito cheio, como diria vovó. "Ei, enfermeira! O soro dele acabou." "Dora, aquele ali perdeu o acesso." O choro é sentido. E tosse, tosse, tosse. O menino me chuta e puxa o braço quando tento pegar uma veia. Por que diabos essa mãe não faz nada? Se fosse eu ele já tinha levado um belo de um tapa. "Pronto, meu queridinho, passou, meu anjinho." Mimado. Onde é mesmo a copa? "Cê também tá na Pediatria, Márcia?", "Pois é, Dora, nem se a gente combinasse os plantões ia dar tão certo", "Que que é essa criança que não para de chorar?", "Ah, é um menino que bebeu uns produtos de limpeza enquanto a mãe tomava banho, tão aguardando só os exames pra levar pra cirurgia", "Vixe." A porta dos fundos dá para uma escadinha, e do lado de fora há um banco de pedra sob uma árvore mirrada. Acendo meu cigarro, o primeiro do plantão.

Fecho os olhos enquanto puxo a fumaça com a boca e inspiro ar pelo nariz. Solto. Observo a fumaça subindo, uma pequena nuvem sob o sol.

Preciso passar a sonda na criança do vinte e três. Ela faz ânsia e vomita nos meus pés. A mãe fica envergonhada,

Gameleira-branca

"Me desculpa", "Imagina, é assim mesmo. Cê pega umas toalhas de papel ali no banheiro pra mim? Brigada." O choro segue, entrando nos quartos. Por que não levam logo esse menino pro centro cirúrgico? Espio pela porta, ele deve ter pouco mais de um ano, está com o bico pendurado na boca aberta, as lágrimas são como um afluente do rio que corre no rosto da mãe; sentada na cadeira, sacode o bebê, ao invés de embalá-lo. "Ei, Dora! Dora! Me ajuda aqui, segura essa lanterna pra mim? Mãezinha, segura bem a cabecinha dela pra não machucar, tá bom? Manu, fica bem quietinha que rapidinho o tio tira esse feijão do seu nariz." Nossa, já são onze horas, ainda preciso checar os sinais vitais de todo mundo no último quarto. Copa. "Dora, que horas você quer almoçar?", "Pode ser uma hora?", "Beleza, então uma e meia eu vou."

Passo novamente pelo quarto de Valentina e a encontro sentada quase na mesma posição; um recipiente de alumínio com a refeição intocada repousa na cômoda ao seu lado. Uma das mães reclama que ninguém está cuidando da menina, mas tampouco parece disposta a fazê-lo; a encara com o que me parece um misto de estranhamento e receio. Pego logo os talheres de plástico, alimento a garota e quando termino, busco no armário de suprimentos roupas hospitalares mais ou menos adequadas ao seu tamanho; procuro uma calcinha limpa na bolsa sob a sua cama, e levo-a para o banheiro do quarto. Depois de banhá-la, secá-la e vesti-la, penteio seu longo cabelo com cuidado, e ela faz beicinho, apontando para as borrachinhas com ursinhos nas pontas, indicando o penteado que quer que eu faça; prometo que voltarei assim que os fios estiverem secos. Quando faço menção de sair, me lança um olhar magoado e vira bruscamente as costas para mim.

 Já não resta nenhuma sombra no banco. Acendo o meu quinto cigarro. O sol queima minha nuca. Respiro fundo. Faltam só três horas, só três horas. "Joana, e cadê esse Ricardo pra levar a Valentina pro ultrassom? Daqui a pouco não tem jeito mais. É só pegar a cadeira e empurrar a menina até lá, pelo amor de Deus! Se eu tivesse certeza que ela não ia cair e bater a cabeça, eu mesma levava andando." Me surpreendo ao vê-la adentrando a sala de funcionários. Caminha até mim e se senta no meu colo, chupando o polegar de uma mão e acarinhando meu rosto com a outra. Me lança um olhar comprido enquanto desliza os dedos pela minha bochecha. Aconchego-a como posso com meus braços. Valentina. Não sei se sou eu que dou colo ou se é ela que me consola. Me levanto carregando-a com esforço, deve pesar uns trinta quilos, e a levo de volta para a cama, fazendo finalmente suas marias-chiquinhas.

 Pouco antes do fim do plantão sua mãe aparece. É uma mulher bonita, está vestida como uma executiva, com camisa social branca, saia preta de brim até os joelhos, salto alto e olheiras profundas no rosto. Observo-a a uma certa distância: cuida da menina com delicadeza, mas de uma forma um tanto mecânica, maquinal. Tudo nela me passa a impressão de uma pessoa fraturada, esvaziada de si mesma. Antes de ir embora, ouço o boletim dos médicos, que, ao mesmo tempo, atualizam a família e os novos plantonistas sobre a condição dos pacientes na corrida de leitos. Explicam que a criança vem tendo desmaios súbitos há dois meses e que por fim optaram por internar para investigação. Já descartaram alterações na tireoide e diabetes, estão aguardando os exames cardíacos e neurológicos.

Nas duas semanas que se seguiram, em todos os momentos em que estive de plantão, Valentina e eu seguimos a mesma rotina: a mãe aparecia só à noite, durante o dia eu me responsabilizava por alimentá-la e banhá-la; e ela sempre me encontrava em algum momento da tarde para pedir com os braços e com os olhos que a aconchegasse junto ao peito. Eu chegava em casa atordoada e dormia mal, tinha muita indigestão e no início atribuía à culpa que sentia quando me lembrava de que Amélia, naquela idade, certamente apresentava a mesma necessidade do afeto de sua mãe. Mas eu não estava lá, nem de corpo presente, nem para errar, nem como um invólucro vazio, nem para abraçá-la maquinalmente.

No dia em que fui até o Hospital para comunicar à diretora clínica sobre o período no qual me ausentaria, e apresentar a ela as trocas dos plantões que haviam sido pactuadas no grupo de WhatsApp, me sentei na cadeira ao lado da cama de Valentina e acomodei-a no meu colo. Falei baixinho com ela, para que retivesse o carinho que queria lhe transmitir. Abracei-a forte e a coloquei de volta em sua cama. Ela, como sempre, me lançou um olhar triste e me deu as costas.

3
Oferenda

No Abaeté tem uma lagoa escura
Arrodeada de areia branca (...)
De manhã cedo se uma lavadeira
Vai lavar roupa no Abaeté
Vai se benzendo porque diz que ouve
Ouve a zoada do batucajé

A lenda do Abaeté • **Dorival Caymmi**

Sempre achei curioso o modo como o que pode haver, ou o que imaginamos que haja além da vida, nos atrai e aterroriza, como esse medo é primitivo e irracional, nos atravessa à revelia do que pode dizer a razão. É comum que crianças órfãs desejem profundamente reencontrar os pais, mas, exatamente por desejarem, desenvolvam um grande pavor de que o anseio seja atendido e, de repente, o espírito de um pai ou uma mãe morta venha visitá-las.

Racionalmente não parece fazer sentido. Afinal, se o espírito carrega a essência do que se é, por que haveríamos de temer o reencontro com seres que amamos, estejam eles em que forma estiverem? A ideia de uma existência após a morte não deveria nos trazer conforto, e não angústia?

Mas não é o encontro que nos apavora, é o mistério. É a possibilidade da existência de um outro universo, regido por outras leis, realidades incognoscíveis, mundos que não podemos imaginar, para os quais teríamos de renascer, crus e desorientados. Esse chão que nos falta, esse abismo diante do qual nos vemos desamparados é o que nos faz padecer de um medo arraigado, inconsciente.

Talvez por isso não deixei de temer entidades, almas penadas, mesmo depois de chegar à conclusão de que não acreditava em Deus e em nenhum tipo de existência pós-vida.

Fui criada dentro do Terreiro. Até os doze anos, enquanto morei com Raquel, frequentava-o nas segundas à noite, dia da gira dos Pretos Velhos, minhas entidades preferidas, e nos sábados em que o Centro organizava almoços gratuitos e atividades culturais ou de reforço escolar para as crianças da comunidade. Depois, quando fugi para a casa de minha avó, praticante da Umbanda há mais de trinta anos, seus ritos religiosos passaram a fazer parte do meu cotidiano.

Ainda hoje, cheiros que me remetam à defumação, plantas ou incensos, reacendem em mim imediatamente a sensação daquele tempo. Se num dia qualquer cruzo com um desses aromas, imediatamente me vejo criança. No terreiro, olho com estranhamento os adultos que conheço falando fino e chupando o dedo, engatinhando, brigando comigo por doces e balas no dia de Cosme e Damião. Tia Rosa, que abomina o cigarro, fumando cachimbo prazerosamente, com um grande beiço que nunca teve, queixo projetado para frente, voz de velha num timbre que não é seu, ê, zifi.

O local enfumaçado, iluminado por velas, preenchido por sombras que se agigantam e tremulam nas paredes rachadas. Infiltrações no teto, pilastras descascadas e murinhos baixos nos quais tantos se sentam, alguns com olhos úmidos, em busca de consolo. Tantas vezes depois encontrei esses mesmos olhos em outros lugares, essa mesma necessidade, primordial, de acolhimento.

Prateleiras com santos, e tia Esmeralda aponta, no centro Jesus Cristo segurando uma pomba branca é Oxalá, e então, distribuídos nas laterais: São Jorge-Oxóssi, Santa Bárbara-Iansã, Nossa Senhora da Conceição-Iemanjá, Sant'Ana-Nanã, São João-Xangô.

Minha avó, girando e girando, com uma coroa sobre a cabeça, o rosto coberto por uma franja de palha, braceletes, colares, saia inflada, um urro gutural saindo da garganta. Às vezes Dona Janaína fica malandra, toma cachaça, pede o chapéu-panamá para pendurar de lado, ordena que a chamemos de Zé Pilintra. Outras vezes se comporta como uma rapariga, passa batom vermelho vivo, abre o decote, fica cheia de curvas e de rebolados. E eu sei, foi Dona Pomba Gira quem pegou emprestado o corpo de minha avó. Acho bonitos os ritos, os símbolos, as músicas. Mas, quanto mais cresço, mais tenho medo. Acordo no meio da noite encharcada de suor, o zumbido no ouvido é tão alto e estridente que imagino um alarme instalado sob meu couro cabeludo. É a única coisa que se sobrepõe ao som do coração de boi pulsando dentro da minha cabeça. Seu Exu Caveira deve ter patas de touro, segura um crânio chifrudo, risca o chão levantando poeira, manda eu me calar com o dedo indicador em cima da boca. Não consigo me mexer. Estou acordada, de olhos abertos, mas o restante do corpo não responde, braços e pernas já não me pertencem, foram desossados. Será que minha alma se soltou? Me lembro. Já sei o que vai acontecer. Não quero olhar. Não quero olhar, mas os olhos não obedecem. Pressinto antes de ver, tem mais alguém ali. No canto do quarto, o monstro sem forma está saindo da parede. Uma nuvem negra, imensa, com olhos luminosos, vários deles, olhando para mim. O bicho retorce o corpo em torno de três perninhas ossudas. O ar é líquido, meu peito arde. Alguma coisa pesa em cima de mim. Não sei quanto tempo se passa até conseguir mover meu dedo mindinho e só então a mão, os braços, o rosto. Enfio a cara no travesseiro para abafar o choro, não quero que vovó acorde. Não quero contar o que acontece comigo, arfo com a respiração quente, oxigênio pouco que passa pelo filtro de tecido e espuma, isso que eu vejo não é nada bom, não é nada bom.

Demorava a ter coragem de olhar novamente para cima. Quando o fazia, via na parede somente a sombra de uma árvore que vazava pela fresta da janela empenada. Mesmo assim, só adormecia quando o dia começava a raiar. De repente, já não conseguia mais ficar no escuro, e por isso lia um livro até que Janaína pegasse no sono e eu pudesse fingir que esqueci de desligar a luz. Não queria andar sozinha dentro de casa, almas poderiam estar à espreita em qualquer lugar. "Adorei as almas, às almas adorei", entoavam as vozes no Terreiro, e eu suava frio.

Até que decidi me afastar da Umbanda. Depois essa decisão foi ganhando contornos de racionalidade, comecei a ler sobre as religiões e o modo como cada uma delas propunha, sem apresentar argumentos lógicos, uma explicação dogmática sobre o universo. Comecei a buscar filósofos e pensadores que falassem sobre a existência, e me parecia cada vez mais nítido que as religiões tivessem sido inventadas pela humanidade; primeiro para explicar o que não conseguíamos compreender, para negar a morte e a finitude, e, por fim, para dominar e subjugar.

Eu, que sempre tinha sido a melhor aluna da escola da vila, comecei a me atar ainda mais à leitura, a estudar o método e as evidências científicas, a compreender como se constroem pesquisas bem fundamentadas. Nesse processo minha avó por um lado se orgulhava do meu esforço, e, por outro, se magoava comigo, dizia que eu só conseguia ver uma verdade, que desprezava sua sabedoria.

Talvez ela tivesse razão, mas os ataques noturnos de pânico foram se tornando mais raros. Quando ocorriam, conseguia me acalmar repetindo mentalmente que era só ansiedade ou paralisia do sono, logo ia passar. A escuridão era só a escuridão, e uma sombra na parede não era nada mais que a luz ricocheteando nos objetos sólidos ou atravessando os espaços vazios. Apesar disso, vez ou outra, se me via em um lugar ermo e uma brisa fria fazia arrepiar os pelos enquanto ressoava entre as árvores o canto de uma coruja, me surpreendia imaginando e temendo criaturas paranormais nas quais não acreditava.

Anos depois, vivencio uma das últimas experiências diretas com as entidades. Tenho dezessete anos, já se passaram cinco desde que fui morar com Dona Janaína na região mais afastada da vila, próxima à orla, numa cabana de pau a pique cujo único quarto dividíamos – ainda posso ver a cama de casal baixinha coberta por uma colcha de retalhos coloridos onde somos importunadas por insetos. Já estou acostumada a discutir com minha avó a respeito do sobrenatural, ela se enraivece, diz que sou descrente, que sou covarde, que não sabe porque preciso dominar todas as coisas, acha que é pura vaidade, que sou ingrata com os mistérios do Axé, que me acho mãe de Deus. Chego em casa com uma pata de cabrito que encontrei numa rua de terra perto dali. Acho aquilo engraçado, fico brincando com ela, mexendo de um lado para o outro, testando a mobilidade da articulação, examinando seus detalhes. Quando Dona Janaína entra na cabana e me vê com o cadáver, começa a gritar com uma fúria que eu não conhecia: "Onde cê encontrou isso, Dora?! Foi na encruzilhada, não foi?! Não te ensinei nada, menina burra?! Tire isso de casa imediatamente! É uma oferenda pra Exu, da nação do Candomblé!" Mas não termina a bronca, começa a tremer muito, e, subitamente, se acalma, fechando os olhos.

Aproxima-se com passo zombeteiro, se senta na cadeira diante de mim, percebo que suas pálpebras fechadas vibram, tem o rosto completamente transformado. Começa a gargalhar. "E aí, Das Dores, parou com a choradeira?" Afina a voz, caçoando de mim. "Ah, que eu vou fazer, que eu vou fazer? Você não devia ter pensado nisso antes de abrir as pernas? Agora a menina já tá aí no seu bucho, e você acha que aquele seu namoradinho vai assumir? A essas horas ele já deve ter dado no pé... Mas se quiser podemos ajudar."

Me vejo imediatamente em posição de alerta, estática, os músculos da coluna e do pescoço tensionados, as mãos agarradas às bordas da mesa. Tento transmitir firmeza na voz, mas ela sai chorosa, falhada. "Quero ajuda não, Seu Exu, obrigada. Desculpa ter mexido na sua oferenda, eu não sabia, vou devolver no lugar onde achei." Olho para cima, sem ter certeza se é ali que se encontra a minha retaguarda – vejo somente a rústica base de madeira e o fundo das velhas telhas. E então começo a rezar o Pai Nosso. Ele ri mais uma vez, e completa: "Menina boba! Acordar Exu Caveira para correr trecho, e nada saber dizer. Pois lhe solicito a paga de um sacrifício, e uma cumbuca de azeite de dendê. Faça direito!" Concordo. Ele sorri mais uma vez, e, em seguida, o semblante da minha avó se normaliza e ela cai da cadeira de plástico desmaiada no chão.

Alguns minutos depois, acorda com a cabeça apoiada em minhas pernas e lágrimas pingando em sua face.

Quando me vê, supõe que incorporou e me pergunta o que aconteceu. Conto-lhe sobre a entidade e o pedido que fez, mas oculto o conteúdo da conversa. Ela se levanta aos poucos, e, assim que se vê recuperada, toma um banho de descarrego, acende uma vela sussurrando orações e se coloca a preparar as oferendas, dizendo que meu espírito é fraco para o serviço.

Vejo minha avó degolando uma galinha preta enquanto canta músicas em Iorubá, marcando o ritmo da canção com uma batida leve dos pés, entoando no silêncio de nosso quintal sua voz aguda e rouca. A posição é a de sempre, e a imagem guarda em si a repetição, o reflexo de todas as vezes que a vi assim, agachada no chão de terra batida, fazendo escorrer o sangue de uma galinha degolada para dentro de um prato fundo de vidro amarronzado, para nos preparar sua famosa Galinha à Cabidela. A fumaça do fogão a lenha, o calor e as faíscas, a panela de ferro, o suor e o cheiro de tempero, uma quentura que se perdeu e que tento inutilmente remontar.

Dona Janaína sai porta afora com seu turbante e suas guias, carregando uma cesta organizada com esmero. Quando volta, pede que eu me sente na cozinha, passa um café, e assim que serve nossas xicarazinhas metálicas pintadas de branco, começa a me explicar o que sabe sobre Exu.

"Num tem motivo pra ter medo, Fulô, os Exu é muito mais próximo de nós, eles é mensageiro, eles é o movimento da vida. O povo acha que eles é ruim porque na época que os preto era escravo, Exu protegia nós, e os branco tinha medo. Mas Exu é justo. Eles precisa do sangue do bode por causa de uma briga entre Orunmila e o Rei da Morte em que um deles se meteu. Exu tentou enganar o Rei da Morte e por isso foi obrigado a ofertar bodes a ele pelo resto da Eternidade. E aí eles pede essa ajuda dos homem, em troca de algum favor. Mais ou menos como nós fazemo com tudo. Nós da Umbanda não praticamo muito o sacrifício, nossas entidade não pede isso pra nós, mas os irmãozinho do Candomblé tem costume, nós respeita. Entendeu? Mas agora cê já pagou sua dívida, eles num vai perturbar. De todo jeito, cê vai lá no Terreiro amanhã tomar um passe com Vovó Cambina".

Passei as três noites seguintes sem pregar o olho, e durante os dias mal saía do quarto, com exceção da tarde que passei no Centro por ordem de Dona Janaína. Quando me senti um pouco melhor fui até a casa de Dona Firmina, dona das fazendas de mamão do entorno, e pedi para usar um dos únicos computadores da região. Pesquisei sobre os fenômenos da mediunidade e da incorporação a partir da ótica da Psicologia, encontrei alguns artigos defendendo que se tratava de outro estado de consciência, uma espécie de transe. Será que o que se manifestou ali foi algo que morava nas profundezas de minha avó? Com sua grande habilidade de observação, ela pode ter compreendido o que se passou comigo sem que eu precisasse contar, e aquela era a opinião que emergia sobre ter-lhe desobedecido, e contra suas orientações, entregado o que considerava meu bem mais precioso a um garoto qualquer.

Só consegui contar que estava grávida quando a barriga já era impossível de esconder. Ela não esboçou grande surpresa, mas baixou os olhos numa expressão de decepção que muito me marcou e viria a coroar nosso afastamento. Não amei menos minha avó nesse momento ou em qualquer outro, mas foi como se meu último elo com aquela terra e aquela origem tivesse se rompido.

Talvez eu me arrependa.

Não de ter ido embora, mas de não ter sido capaz de compreender Janaína. Se o fenômeno da incorporação externava alguma coisa que ela guardava numa caverna escura e funda dentro de si, ao menos conscientemente escolheu não o expressar, e hoje penso que isso deveria ter sido o bastante para conter a minha mágoa.

Pouco antes do nascimento de Amélia, voltei para a casa de Raquel, onde, depois da saída dos meus irmãos, poderíamos ter um quarto só nosso. E com pouco mais de um ano de idade deixei minha filha para tentar a vida em São Paulo.

4
Divina comédia humana

Estava mais angustiado que um goleiro na hora do gol
Quando você entrou em mim como um sol no quintal
Aí um analista amigo meu disse que desse jeito
Não vou ser feliz direito
Porque o amor é uma coisa mais profunda
Que um encontro casual

Divina comédia humana • Belchior

Da porta, depois de empilhar as malas no corredor, antes de partir para a Bahia, olhei para dentro de meu apartamento muito branco e, a não ser pela presença de poucos móveis a mais, ele não parecia muito diferente do que era três anos antes, quando eu e Arthur o adentramos com passos trôpegos em direção a um colchão que era sua única mobília. A tonalidade clara e o estilo minimalista das portas e armários pintados de branco, que, em parte foram responsáveis para que o escolhesse, me incomodaram. Amplificavam o vazio.

"Você não consegue confiar, se entregar. Olha essa casa, parece que ninguém mora aqui. Percebi que estava esperando encontrar seu armário vazio, suas coisas encaixotadas, ou pior, uma carta seca de despedida enfiada debaixo da porta" – foi o que ele disse quando terminamos. Ou algo parecido. E eu não soube responder.

Na primeira noite que passamos juntos falei que morava ali havia uma semana, mas já fazia quase um mês. Nos conhecemos aleatoriamente, numa sexta-feira em que decidi sair sozinha. Estava especialmente cansada da minha própria companhia e a perspectiva de ficar em casa lendo ou gastando horas inúteis no Instagram parecia a pior possível. Por isso arrastei meus pés desanimados para o banheiro, vesti um top de lantejoulas aberto nas costas, pintei o rosto, sentada de pernas cruzadas no chão, com ajuda do celular – ainda não tinha instalado espelhos nos banheiros – e saí em direção à Vila Madalena.

Caminhei entre os bares, indecisa, não totalmente convencida de que deveria ficar, insegura por ser uma mulher com um decote provocante, andando sozinha por uma das ruas badaladas da zona oeste de São Paulo, quase à meia-noite. Mas então ouvi uma voz bonita de homem, num tom que ficava entre o agudo e o grave, cantando Belchior. Avistei-o no fundo de um boteco pequeno, escuro, com algumas mesas de madeira ainda vazias e me sentei.

Gameleira-branca

Ele segurava uma guitarra, tinha uma grande barba preta emaranhada, o cabelo comprido e ralo, usava uma roupa muito simples. Braços muito brancos cobertos por tatuagens negras saíam das mangas cavadas e relaxadas da regata preta de algodão. Cantava praticamente sem abrir os olhos, e dançava desajeitado, absolutamente alheio ao seu público.

Fiquei sentada em minha mesa e cantei com ele praticamente todas as músicas, mas, somente quando o repertório estava quase no fim, ele notou que eu também entoava todas as letras. Num gesto que, hoje sei, não lhe é comum, se sentou em minha mesa e a primeira impressão que guardei desse momento foi a facilidade de conversar com Arthur, seus olhos que fitam sem se desviar, sem constranger e sem escrutinar, o silêncio prolongado para ouvir, uma mão que apoia o queixo para refletir antes de falar, as perguntas genuinamente interessadas e, acima de tudo, a tranquilidade de uma alma pacífica.

Nessa noite, também incomumente, contei a ele sobre meu trabalho como enfermeira e as angústias da doença e da morte, de cuidar quando o corpo e a mente se encontram muito rentes ao limiar da exaustão – ele sempre teve a propriedade de destravar algo em mim, e me lembro bem de que, nessa ocasião, já fazia algum tempo que eu não conversava realmente com alguém.

Arthur me falou sobre ter abandonado definitivamente a expectativa de completar uma graduação, sobre ter começado Música e Artes Visuais somente para concluir que odeia os formalismos da Academia e é incapaz de se adequar aos tempos das planilhas e cronogramas.

Levei esse homem alto e pálido para minha cama, e senti cada contratura de sua insegurança e cada gota salgada de seu medo de me machucar. Fizemos um sexo suave, muito diferente do que estava acostumada. Com o tempo tive que ensinar-lhe também a soltar seu bicho, a enveredar os dedos pela raiz dos meus cabelos e segurar com força. Melhor assim. Muito melhor que um homem aprenda a brutalidade com a mulher que o deseja, e somente na medida exata do prazer. Do meu prazer.

Ele sempre fez tudo o que era possível, mais do que era possível, e era justamente esse a mais que me assustava. Sentia como se um limite estivesse sendo invadido. A profissão parecia agravar a situação, me esgotava o pouco de empatia e simpatia que restavam. E então a entrega de Arthur ficava sempre vazia, falava solitariamente com o silêncio, nada ecoava em retorno.

Talvez nosso término tenha sido o melhor desfecho.

Mesmo assim, sinto saudade. De quando ele acordava antes do raiar do dia – naquela casa velha e desorganizada em que vivia, naquele quarto com paredes cobertas por seus desenhos incríveis em folhas sulfite encardidas, coladas com fita crepe – para ir até o ponto de ônibus, comprar um café no caminho e ficar comigo até o último instante, me abraçar apertado quando eu suspirava de cansaço, e me dar um beijo de sono e apoio antes que eu tivesse de subir no coletivo com cara de quem precisava dormir muito mais. Começava ali um dia de muito esforço.

Se me perguntam por que escolhi Enfermagem, ainda hoje tenho dificuldades para articular uma resposta.

Gameleira-branca

Havia então uma possibilidade real de conseguir cursá-lo pelo ProUni, além de uma perspectiva de emprego relativamente sólida. Mas há algo mais. Me imaginava dentro de uma roupa branca reluzente, debruçada sobre outra pessoa em sofrimento, consolando e amparando, portando uma generosidade límpida como águas de um rio bravio. Em cuja margem vez ou outra se vê uma única lavadeira: ela chega, ereta, séria, o balanço altivo dos quadris remexendo-se ao passo lento das chinelas, suportando com dignidade o peso da bacia de roupas apoiada na cabeça. O brilho das águas sussurra travessias, seu movimento fala do que sobe ao céu, mas mais ainda do que cai no chão, se infiltra na terra, alcançando covas e raízes, tornando-se madeira, caixão. Eu desejava essa dignidade, essa sabedoria; dentro de um jaleco branco me imaginava como o barqueiro do rio da morte, conduzindo as almas até o outro lado.

Para descobrir depois que a prática da profissão, sendo tudo isso, não é nada disso. Que o cuidado passa irrefletido em meio a uma rotina louca de filas que se agigantam, de uma demanda sempre maior, de um tempo cronometrado e espremido numa lógica de produção da qual não escapamos. Que nosso conhecimento é, repetidas vezes, desvalorizado em hierarquias profissionais, que resultam em remunerações com abismos de diferença. E que nos embrutecemos.

Mas, doze anos antes, quando Madrinha me ofereceu uma passagem e abrigo em sua casa em São Paulo para que eu concorresse às bolsas recém-lançadas pelo Governo Federal, para estudar gratuitamente ou através de financiamento em Universidades Privadas, não pensei duas vezes. Deixei Amélia e me prometi que voltaria para buscá-la assim que concluísse o curso e tivesse um emprego.

Não voltei. Depois de seis anos, minha filha já estaria trocando os dentinhos de leite, aprendendo a escrever o alfabeto e não teria uma única lembrança de sua mãe.

Não quero pensar sobre isso agora. Em outro momento.

5
Dequitação

E foste um difícil começo
Afasto o que não conheço
E quem vende outro sonho feliz de cidade
Aprende depressa a chamar-te de realidade
Porque és o avesso do avesso do avesso do avesso

Sampa • **Caetano Veloso**

Reclinei a poltrona do ônibus e ouvi o suspiro indignado de um senhor barrigudo atrás de mim. O interior do veículo, em veludo azul encardido, tinha um cheiro artificial de tutti-frutti, e, por minutos a fio, foi preenchido pelo som do farfalhar de corpos se ajeitando: mochilas sendo empurradas para dentro de compartimentos pequenos demais, cobertas puxadas de sacolas de plástico estampadas, conversinhas de crianças, abertura de latas de Coca-cola, quadris girados para passar com dificuldade pelo corredor. Fingi não perceber o incômodo do velho da fileira de trás e me permiti ocupar tranquilamente o espaço que pareceu meu por direito – atestado pelo nome impresso na passagem e a inclinação predeterminada do encosto. Ele que se virasse.

Tirei os sapatos, apoiei os pés no assento, coloquei o álbum "Refazenda" de Gil para tocar no player. A cadeira ao meu lado estava vazia, apoiei minha mochila menor ali – a maior tinha ido no bagageiro – e desejei que ninguém viesse ocupá-la nas paradas seguintes.

De modo geral gosto de viajar de ônibus, embora essa viagem fosse especialmente cansativa. Sempre achei que esses entre-lugares levassem a um estado diferente de consciência, ajudando a percorrer as travessias do pensamento e da memória, proporcionando raros instantes de contemplação da vida. Ali era particularmente importante ter algum tempo para divagar.

A conta era extensa, e havia muitos retalhos a remendar entre a mulher de dezoito e a de trinta. Por tanto tempo elas ficaram apartadas, como se esta e aquela vida não tivessem nenhum ponto de contato. Como se esta mulher e aquela menina não tivessem nada em comum. Eram como duas existências separadas por uma morte. Vivi durante anos como se tivesse esquecido.

Saindo da cidade de concreto, os prédios e viadutos ainda pareciam gigantescos, mas agora a imponência vinha acompanhada de uma espécie de familiaridade. Sei me orientar na selva de pedra. São Paulo me pareceu então muito diferente do que imaginara no auge do deslumbramento de minha adolescência. Conheço hoje o que se esconde sob a superfície do que um dia vislumbrara como um infinito de belezas, intelectualidades, cultura, possibilidades.

Gosto de São Paulo, desse um pouco de tudo que se concentra em fragmentos esparsos, dos postes altíssimos espalhando luz, dos artistas tocando violino na calçada, de viver em anonimato, ser mais um rosto refletido em espelhos quilométricos e verticais; gosto dos grafites nos túneis, dos vários sotaques, da racionalidade metálica levada às últimas consequências. Mas hoje sei também dos abismos, dos invólucros, das mãos em concha, dos olhares que jamais se cruzam, do cheiro de esgoto, da água que não escoa, da fumaça que apaga as estrelas.

Minha família acreditava que morar em São Paulo era sinônimo de ter sucesso, se tornar doutor; alguém que portaria as verdades e os conhecimentos. Era assim que tratávamos Madrinha, prima de minha mãe que tinha conseguido – por meio de um emprego de representante farmacêutica arranjado pelos contatos de seu pai, dono conhecido de uma garagem de caminhões – garantir sua graduação em Farmácia e por fim, os louros e a glória de um emprego razoável no Sudeste.

Quando aparecia uma vez por ano para as festividades de Natal, trazendo bonecas de plástico com cabelo loiro, envoltas em um embrulho bonito de Papai Noel, muito diferentes das que vovó costurava para mim, Raquel me vestia com minha melhor roupa e, enquanto me aprontava, trançando meu cabelo crespo para que deixasse de parecer uma "cafuringa", dava as instruções para que ao menos naquela noite não me "comportasse feito um muleque", justificando a ordem com algo que ecoou para sempre dentro de mim: "sua Madrinha é estudada". Em minha imaginação essa parecia ser a qualidade máxima de um ser humano, e, além de Madrinha, tinha sido digna dela somente mais uma pessoa do meu conhecimento, o "falecido dr. Nilton, que Deus o tenha".

Fiz pela primeira vez o longo caminho rodoviário em direção a São Paulo cheia de expectativas; imaginava um lugar fértil de oportunidades, me via numa grande casa bonita, cheia de livros. Sim, imaginava livros, de todas as cores, títulos, tamanhos, organizados em estantes altíssimas. Um jardim onde talvez Amélia pudesse correr alegre, uma cozinha onde, quem sabe, um amor nos esperasse para passar o café. Observava espantada a malha urbana que ia se emendando ao longo das últimas horas de viagem.

Carrego todos os meus pertences em duas bolsas de tecido, parada na Rodoviária do Tietê diante da maior aglomeração de pessoas que já vi – filas volumosas que deslizam entre si em vários sentidos, revoltas correntezas de cabeças e malas. Que estúpido acreditar que um endereço escrito em um pedaço de papel seria suficiente para me orientar.

Não entendo os sentidos do metrô, o funcionamento das catracas, tem um pessoal usando um cartão, onde enfio o tíquete? As pessoas estão amontoadas do lado direito, por que não se ocupam o espaço todo? Vou andar desse lado aqui, que não tem fila, sou empurrada por mãos e mochilas, que esquisito o pessoal correndo na escada rolante, trombo com trabalhadores apressados que sussurram xingamentos entre dentes. Aquela confusão de veículos, a largura das avenidas, o céu bloqueado por edifícios, sons de buzinas, vozes, comércios, me deixam atordoada. Demorei cerca de um ano para me adaptar a tudo isso e começar a encontrar pedaços dos meus sonhos – que nesse curto período de tempo haviam se desidratado consideravelmente – em meio à realidade de concreto da "Metrópole da Garoa".

A Madrinha que encontrei era muito diferente da mulher que me trazia presentes. Descobri uma senhora enrugada cuja boca fina e reta quase nunca se mexia. Me aloja no quartinho de serviços, e ordena que a encontre no escritório assim que terminar de me acomodar. Me passa uma lista de tarefas e a maneira específica como devem ser executadas. O chão deve ser varrido e aspirado diariamente, e nessa semana, antes das aulas se iniciarem, seria muito gentil se eu achasse um tempo para encerá-lo. "Os banheiros são lavados nas terças-feiras pela Ivone, você vai se dar superbem com ela, um amor de pessoa, quase da família, mas agora que você chegou, filhinha, fiquei pensando que o ideal é você lavar outra vez na sexta-feira, por que agora eu não moro mais sozinha, né? Se você puder também limpar a cozinha depois da janta, pra eu me levantar com tudo arrumadinho, fazer o café e sair pra trabalhar, vou conseguir chegar até mais cedo na empresa, quem sabe eu ganho um aumento e consigo te dar uma mesadinha, hein?"

Chorei todos os dias na primeira semana que passei ali, e corria sempre para o orelhão mais próximo, fazia interurbanos nos quais pedia que Raquel colocasse Amélia no telefone. Ela respondia me mandando deixar de bobagens, "a menina não tem nem idade pra entender". Um dia parei de ligar.

Minha vida melhorou consideravelmente quando as aulas da faculdade começaram. Ali encontrei motivação para seguir, fiz alguns amigos, vivi alguns amores, e conheci a única e tímida porção de juventude que me coube. Encontrei o refúgio de pessoas e garrafas contrabandeadas para dentro do pequeno quarto, onde nos trancávamos, nos embriagávamos, fumávamos maconha, escutávamos rock progressivo e fazíamos sexo. Ali aprendi que minha risada era alta – tinha que ser frequentemente sufocada por travesseiros – e que eu tinha a habilidade de gargalhar de qualquer besteira, particularmente dos apelidos que inventava para a Megera: eles se ajustavam às gírias e aos personagens da novela da época. E então alguma coisa de adolescência. Também tive cabelo azul, usei calças jeans rasgadas demais, coloquei *piercing* no nariz e na orelha. Dancei em rodinhas punks – era libertador deixar o corpo colidir com outros corpos sem controle, e não parar de pular, nunca parar de pular.

Via agora as luzes recém-acesas de uma São Paulo que há pouco escurecera pela janela do ônibus, e o susto não existia mais. O que reencontrarei na velha vila me assombra, mas mesmo o medo tem outra forma. Entro no ringue de cabeça erguida. Se serei ou não nocauteada, não sei, mas estou certa de ter uma base forte, sei fazer entrar o soco. Nunca saí do Brasil, mas imagino que nunca mais um lugar será tão absurdamente desafiador.

Antes de alcançar o perímetro urbano da região metropolitana, pego no sono. Estou sozinha numa estação de trem antiga. Da plataforma vejo alguns vagões partindo da linha do horizonte e vindo em minha direção, em câmera lenta. Escuto o barulho de um pulsar. Olho para o chão e nele encontro dois fios gosmentos entrelaçados, um mais vermelho, outro mais arroxeado, um deles contraindo-se e relaxando-se. Uma artéria e uma veia. Sigo os fios para dentro do salão principal, vejo as paredes amarelas sob hastes de metal, e na parte superior da parede frontal um grande relógio. No centro do salão, flutua uma estrutura roxa e aparentemente macia, vejo somente sua parte posterior, onde adentram a veia e a artéria, que no interior do órgão formam um emaranhado de vasos, enrolados como um novelo. Eu sei o que é isso.

Uma placenta.

6
Desconcerto

O meu silêncio é uma singela oração
À minha santa de fé
Meu cantar
Vibram as forças que sustentam meu viver
Meu cantar
É um apelo que eu faço a Nanã, ê

Cordeiro de Nanã • Mateus Aleluia

Desci na pequena rodoviária, se é que aquilo pode ser chamado de rodoviária, empoeirada da cabeça aos pés. O trajeto de Salvador para a vila dos pescadores, que, diga-se de passagem, não consta nos mapas, é feito por uma van clandestina de janelas emperradas – não que alguém fosse ousar fechá-las naquele calor sufocante – conduzida a toda velocidade através de uma estrada metade esburacada, metade de terra, por um motorista frenético com olhos arregalados de rebite.

    Tive de andar de um lado a outro da pequena plataforma coberta por um telhado de Eternit até achar um canto onde pegasse sinal para ligar para o Pai. "Cheguei." "Tô indo." O velho era sucinto.

    Minutos depois avistei o caminhão, e mesmo assim me assustei com aquela buzina alta e desnecessária. Era a única pessoa esperando e ele vinha conduzindo um veículo antigo, imenso e branco, no meio de um descampado arenoso, para que diabos buzinar? Subi as escadas da cabine sem reclamar, coloquei o mochilão no meio das pernas. "A benção, Painho." "Deusabençoe." "Como tá Vóinha?" "Tá nas última." Olhei para aquele senhor magro, queimado de sol, com vários dentes faltando na boca, mais xucro que um cavalo selvagem, e me dei conta de que ele não tinha mudado nada nos últimos vinte anos. A velhice veio toda de uma vez por volta dos quarenta e depois estacionou. Fizemos o restante da viagem em silêncio. À medida que avançávamos eu ia sentindo aquela brisa quente, úmida e salgada que vinha da maresia. Mal podia esperar para ver o mar, o mar verde e morno da Bahia.

    Desci do caminhão e andei em direção à cabana de minha infância, ela me pareceu muito menor do que me lembrava. O Pai foi logo se sentando na varanda, tirou um canivete do bolso e ficou a picotar um fumo. Na sala, o pequeno sofá de estofado roxo rasgado, as cadeiras azuis de fio trançado, a pequena televisão antiga no velho raque sobre um forro rosa de crochê, ao lado de todos os santinhos de minha avó, entre eles uma imagem de barro de Padre Cícero, e uma figura em cartolina, já muito gasta, de Antônio Conselheiro, segurando um cajado, com cabelo e barba compridos, lembrando a representação de Jesus Cristo.

Mais adiante, o quarto de Janaína. Pela abertura da porta, através de uma cortina de miçangas, assisto à cena conhecida, mulheres ajoelhadas em torno da cama, com terços nas mãos. Vejo a silhueta de minha avó, constato com alegria que usa seu turbante colorido e suas guias azuis.

Na minha terra é assim que se morre, em sua própria cama, rodeada pelas mulheres da família, acolhida por suas preces. No Sudeste normalmente se morre num leito hospitalar, mas, com exceção deste detalhe – que não é um detalhe – a cena não é muito diferente. Nesses anos trabalhando como enfermeira, estaquei uma certeza: é essencial a fibra de uma mulher para enfrentar a finitude. São elas que têm raízes profundas e mãos firmes para fazer o que é necessário. Os homens sempre esperam do lado de fora.

O quarto cheira a defumação, no canto esquerdo queimam ervas numa cumbuca que – eu sei – contém alecrim, arruda, alfazema, manjericão, louro e patchouli. Dona Janaína me ensinou a fazer a mistura quando eu era menina. Ouço as vozes entoando baixinho: "sou de Nanã Ewá, Ewá, Ewá ê".

Ao redor da cama, sete mulheres e uma menina. Minha mãe, duas tias, outras senhoras com fisionomias familiares que já não sei reconhecer. Figuras que pouco se distinguem, mulheres encurvadas, emagrecidas, mas com barrigas proeminentes, rostos severos, manchas na pele de todo tipo, óculos um pouco tortos, vestidos de botãozinho até abaixo dos joelhos. Brilham, no entanto, duas figuras. Raquel, sua pele negra, seu cabelo trançado amarrado num grande coque, seu olhar impassível, sua postura ereta. Há doze anos não vejo minha mãe, mas, tal como ocorreu com meu pai, não noto grande mudança. Pelo contrário, talvez tenha rejuvenescido. Ao seu lado, uma menina magricela, com roupas largas demais para seu tamanho, o cabelo preto sem corte. Me parece muito séria e em nenhum momento olha para mim.

Essa deve ser Amélia. Mas, se for, em nada se parece com o que imaginei, não a reconheço. Só agora percebo que nos dias anteriores deixei crescer em mim a expectativa de que pudesse ver o bebê de minhas lembranças naquela pré-adolescente, que houvesse alguma espécie de vínculo etéreo entre mãe e filha, que resistiria ao tempo e à distância, e que nos conectaria imediatamente. Alguma força que faria com que meu sangue gritasse à sua presença. Afinal, sou sua mãe. Ou não sou?

Mas não acontece nenhum tipo de conexão ou reconhecimento imediato, nenhum sentimento específico por aquela garota magricela. Ela me é completamente estranha e imagino que eu lhe pareça ainda mais desconhecida. Quando tento imaginar sobre o que falaríamos, a partir de qual assunto poderíamos iniciar uma conversa amena, nada me vem à mente.

Dona Janaína está em sua cama de olhos fechados, mas assim que piso no quarto me chama: "Dora, Fulô de

Mandacaru, estava te esperando, minha menina". Sempre me chamou assim, Fulô de Mandacaru, nunca me disse explicitamente o porquê, embora eu tivesse meus palpites. "Venha cá", ordena.

Vista mais de perto, a imagem de minha avó me assusta, e pela primeira vez sinto medo de me aproximar. Sua presença, sua voz, ainda que mais fracas do que costumavam ser, mantêm a autoridade de sempre, mas há alguma coisa desconcertante ali. Algum brilho perdido, a pele fina e opaca demais, o maxilar marcado, a boca encovada. Uma imagem de fragilidade para mim absolutamente chocante e contraditória com tudo que sabia sobre Janaína.

Me ajoelho do lado esquerdo de Raquel e, antes de acomodar meus joelhos no chão, Amélia, que estava do seu lado direito, se levanta bruscamente e sai correndo do quarto sem me encarar. Sabe, portanto, quem sou. Aquilo só faz aumentar o sentimento de estranheza. A cada segundo que passa, o que costumava ser familiar vai se tornando mais terrivelmente inadequado, desencaixado. Minha mente zune em dissenso.

Seguro as mãos de minha avó entre as minhas. São como eu me lembrava, firmes e ásperas, mas tremulam com o movimento de seu tórax, sua respiração difícil e entrecortada. Ela pede que nos deixem a sós. As mulheres se levantam pacientemente, muitas delas com a vagareza da artrose que toma as articulações, mas não hesitam, não expressam qualquer estranhamento ou dúvida. Ficamos eu e Dona Janaína, naquele quarto em que a velha me ensinou tanto.

Minha avó não faz nenhuma menção ao tempo de nossa separação ou a tudo que se passou desde então, não me faz nenhuma pergunta, puxa simplesmente meus ombros para si, num abraço torto, e depois pede que eu apanhe um ramo de arruda sobre a mesa de cabeceira. Apoia uma mão sobre minha clavícula, apertando forte, começa a sussurrar orações enquanto sacode o ramo sobre minha cabeça, ombro, costas. Com uma precisão súbita arrasta as folhas sobre a superfície do meu corpo e depois as sacode no ar. Quando termina, parece exausta, suspira fundo, vira-se de lado e dorme. O gesto não me traz nenhum alívio, mas sopra meu corpo com uma brisa de acolhimento.

Saio para o quintal e me sento nos degraus da varanda, ouvindo Painho roncar na cadeira ao lado. As mulheres conversam algo entre si, paradas em meio ao território das fantasias de minha infância, sobre o chão coberto de folhas largas, verde-escuras ou amareladas, diante das altas árvores, erguidas sob um sol escaldante, envolvidas pelo calor úmido da mata. Olho minha gameleira, aquela que plantei quando era menina, e me surpreendo ao notar tênis muito sujos apoiados em seu tronco. Ali está minha filha, suspensa nos galhos, imersa sob as folhas da grande árvore, sem suspeitar que se apoia na planta semeada pelos dedos de sua catastrófica mãe quando tinha metade de sua idade. Ali escondi palavras, ganhei cicatrizes, me escorei para fazer registros em um diário onde segredos eram guardados pelo pequeno cadeado prateado – para que meus irmãos não vasculhassem – e cheguei a me abrigar com ela nos braços depois de seu nascimento, nas visitas a Dona Janaína. Naquele terreno corri, lambuzando os pés e pernas com a terra orvalhada, que dava à minha pele um tom acobreado. Passei tardes folheando com dedos encardidos o mundo encantado de Monteiro Lobato, usando pó de pirlimpimpim para me transportar a outras galáxias, rindo das invenções de Emília – imagine se melancia desse em árvore! Tive esconderijos que me mantiveram a salvo de Antônio.

Sou despertada do devaneio pelo chamado de Raquel, que só então se dirige diretamente a mim, avisando que vovó quer comer pamonha, e que, portanto, vamos cozinhar. Chama todas as mulheres em direção aos fundos da casa, onde está o fogão à lenha.

Nos dirigimos àquele pequeno espaço, protegido do sol por telhas improvisadas sobre quatro toras de madeira, no centro do qual há uma mesa de pedra e cimento. Dali posso ouvir o barulho das ondas. Olho de esguelha minha mãe se descolando do grupo e voltando para buscar Amélia, que não se moveu de cima da árvore. Noto a cara de choro da menina enquanto Raquel ralha com ela e a arrasta pelo braço. Fico incomodada, mas não acho que tenho direito de intervir.

A adolescente passa por mim pisando forte e enxugando o nariz com a manga da blusa, segue me ignorando solenemente e se dirige à pilha de milhos, aparentemente já sabendo qual será sua tarefa – uma que também me coube por muitos anos, e era destinada às crianças – arrancar o milho das palhas, separando as melhores, e depois retirar todos os cabelinhos das espigas.

Não é a primeira vez que o ritual acontece. Na verdade, suponho que, com pequenas variações, tenha se repetido ao longo de gerações. Tudo fica envolto pela atmosfera do que já se conhece desde o código genético, desde o ventre materno. E esse ar tem cheiro de carvão e milho cozido.

As tarefas se organizam simultaneamente, numa linha de produção. As palhas são passadas até a mulher que comanda o fogão para serem fervidas. Os milhos já limpos são direcionados a uma segunda senhora sentada num banquinho que tem o trabalho ingrato de ralá-los num grande ralador de latão alojado entre as pernas – junto à pele dos dedos e pedaços de unhas, sobre os quais é melhor não pensar. Na bacia sob o ralador aos poucos forma-se uma massa amarela, encaminhada a Raquel, que a tempera com açúcar, um pouco de sal e canela. Por fim, uma dupla forma trouxinhas com as palhas, despeja a pasta em seu interior, acrescenta no centro uma tira de queijo meia cura e fecha usando cordões. E então os pacotinhos são cozidos.

Sempre reclamava de ter de participar, mas hoje são algumas das minhas lembranças mais queridas. Aquele fazer mecânico aos poucos dá lugar às histórias, as mulheres se atualizam sobre as notícias dos parentes, comentam as novelas, os programas de rádio, cantam, sussurram contos de fantasmas, reclamam dos maridos. Sinto que alguma coisa em mim se aterra, se conecta as raízes. Nesses momentos não estou tão apartada de minha família, consigo enxergar as trilhas que levaram à dureza daquelas vidas, e essa é a herança de todas nós. É uma das raras ocasiões em que não me encontro em profunda desvantagem em relação aos meus três irmãos.

Amélia está concentrada na tarefa de tirar os cabelos dos milhos, absolutamente calada, e suspeito que seus ouvidos estejam captando todo o falatório. Não sei, no entanto, como ele reverbera dentro da garota, que valor tem para ela. Começo a notar seus traços, seus dedos compridos, seus lábios arroxeados e sua sobrancelha fina. É meticulosa em sua tarefa. Já tinham me dito que era boa na escola. De que tipo de música gosta? Gosta de ler? É uma boa pessoa? Brincalhona? Irritada? Já menstruou? Ainda brinca de boneca? Assim que termina a pilha, dirige-se a Raquel e dispara: "Mainha, acabei, posso ir?" A velha assente com naturalidade. Mainha. Raquel é sua mãe. Isso me deixa qual lugar? Preciso de um cigarro.

Enquanto as pamonhas terminam de cozinhar, pego a latinha que levo na bolsa e me dirijo à orla. O encontro com aquele infinito de água, a se movimentar conforme a rotação da Lua, nunca deixa de me maravilhar e de me fazer falta em São Paulo – a brisa a clarear os pensamentos, a beleza da natureza e sua alegria sem culpa. Assim que me sento na areia, o Sol começa a baixar no horizonte, iniciando o espetáculo que dura poucos minutos e que faz com o que o mar verde passe a prateado e depois a negro. Tiro de dentro da latinha a seda, ajeito em seu centro o tabaco, enrolo o cigarrinho, lambendo a borda do papel e colocando um filtro na ponta. Sinto os cabelos agitados pelo vento que começa a soprar do continente em direção ao mar, jogando fios no meu rosto. Viro de lado para prendê-los com uma borrachinha que fica sempre no punho e então a vejo, a uns duzentos metros dali. Sentada sobre uma rocha, Amélia abraça os joelhos.

7
Lastro

Para ler ouvindo "Francisco", de Milton Nascimento.

Entrei no mar.
   Entrei no mar como se buscasse Amélia, como se pudesse alcançá-la. Minhas roupas – antes cobertas por uma crosta de poeira da viagem muito longa, rescendendo a suor e aos tantos cheiros que o corpo humano acumula ao longo das horas – se tornam mais pesadas à medida que a água salobra nos atravessa. Vou entrando para dentro do coração do oceano até que meus pés percam o contato com a terra, e ainda tenho Amélia como norte, ali parada na ponta curva da baía.
   Minha avó sempre me disse para respeitar o mar.
   Quando menina, o imaginava como um ente, uma unidade viva e consciente, imprevisível. O mar era feroz, esmagava com suas ondas violentas os barquinhos

dos pescadores, e eu morria de pena das mulheres enlutadas, sussurrando orações com os pés na água, cabelos chacoalhados pelo vento, olhos fechados e um lencinho apertado com as duas mãos rente ao peito. Talvez se perguntassem o que seria de suas vidas, talvez amaldiçoassem o oceano.

O mar não tem piedade.

Quando quer, fica calmo, recebe tranquilamente o calor do Sol, se faz berço de peixinhos, caminho de matar a fome. Quer dançar comigo num balanço leve, enquanto a brisa brinca de fazer carinho. Eu me imaginava no meio da saia de Iemanjá, como num quadro que vi uma vez e nunca mais esqueci: a mulher muito preta, na cabeça uma coroa que lhe cobre os olhos com a franja de miçangas azuladas, flutua enquanto sua saia azul de armação se estende infinitamente, feita das ondas do mar. Talvez Iemanjá fosse tão gigantesca que não pudéssemos ver nada além da barrinha de sua saia, ou talvez estivesse dormindo no fundo do oceano.

Aprendi a temer e amar, o mar.

Nunca me aventurei a nadar tão longe da costa. A maré me empurra no sentido contrário.

Bato as pernas com o máximo de velocidade, giro os braços alternadamente, passando-os sobre a cabeça, mergulhando-os dentro da água, empurrando-a com a maior potência de que sou capaz. Os músculos contraídos, encharcados de adrenalina, se engalfinham com as ondas. Vou alcançar Amélia.

Me movimento mais rápido, com mais força, mas não estou me aproximando.

Posso ser mais forte, ossos, articulações, alavancas.
Vou alcançá-la.
Meus braços doem.
Quando eu provar que posso vencer a resistência do mar, ela vai me deixar seguir.
Braços. Pernas. Braços. Pernas.
Vejo-a piscando.
Vislumbre fugaz em meio à água, espuma, cabelos pregando no rosto.
Meu corpo se eleva numa grande onda e é jogado para baixo com violência.
Braços. Pernas.
Vou até o limite das minhas forças.
A água roça minha traqueia e me faz tossir.
Braços.
Pernas.
Meu nariz arde, o mar não recua.
Invade o limite do meu corpo.
Se insinua por dentro da minha boca, das minhas narinas.
Quer tomar minha garganta, meus pulmões.
Começo a brigar.
Espernear.
Esbracejar.
Meu chacoalhar é protesto.
Relincho.
Urro contra o oceano.
Escute, você não vai me afastar, ouviu.
Você vai ter que me matar.
Não há mais energia para me debater.

Puxo o ar pela boca, mas não é suficiente. Desisto.

Vou me afogar.

Quando me vê derrotada, Iemanjá se acalma. Encho o peito, as costelas infladas são guelras, finalmente o mar me aceita, me acolhe. Sinto as ondulações, agora muito leves, me ninando com suas águas verdes e mornas. Faço as pazes com Santa Bárbara no lusco-fusco. A Lua já se anuncia, branca e tímida como uma bruma, meio círculo sobre o lilás. Um sorriso? Tenho consciência da presença de Amélia fora do meu campo de visão, seus olhos em mim.

Volto para a praia, acendo o cigarro que tinha enrolado e me sento, exausta. Que papel ridículo fiz diante da minha filha. Há algum cenário em que eu não perca? Se existissem outros universos, como Arthur acredita, em que cada possibilidade de escolha se desdobrasse em uma nova realidade, haveria um mundo em que eu e Amélia fôssemos felizes? Se eu tivesse acertado todas as vezes... Observo minha filha se levantando e caminhando de volta à cabana, com o passo lento e arrastado dos adolescentes, enquanto trago a fumaça cheia de perguntas. A noite cai definitivamente. Termino o cigarro, bato a areia grudada na roupa e volto para a companhia das mulheres.

Ao notar que estou toda molhada, Raquel dispara "O que é isso, Dora?" e, quando não respondo, completa com uma de suas frases clássicas: "essa menina sempre foi desmiolada". Vejo um esboço de sorriso no rosto de Amélia.

Gameleira-branca

Depois de saborear as pamonhas ainda quentes, nos espremos no caminhão de Painho até a casa de Raquel, a poucos minutos dali. Tia Rosa ficará cuidando de Dona Janaína essa noite.

Jamais almejei voltar àquele lugar. Mas, ainda assim, alguma coisa que é quase uma saudade se revolve dentro de mim quando vejo o alpendre, o portão baixo, os azulejos vermelhos da varanda, a suculenta comprida que um dia imaginei feita de dedinhos verdes, o cheiro das roseiras e da arruda que ainda persistem no quintal às custas da dedicação de Raquel. Às vezes eu acordava cedo, caminhava pela casa sem sapatos e parava na porta do jardim para ficar ouvindo o diálogo de Mainha com as plantas. "Como cê tá linda, que perfume cê tem. Perainda, xêro. Acho que tá precisando de um pouquinho mais de sol, num é, anjo? Pronto, agora tá bem." Escondida atrás da parede, eu encenava gestos, expressões, fazia mímica com as palavras, como se a conversa fosse comigo. De vez em quando, corria até Raquel com um desenho "olha, Mainha, essa sou eu!", "Oxe, desde quando cê é planta, abestalhada?!"

Entro pela porta da frente, na sala de jantar a mesa de madeira maciça, a cristaleira, o aparador sobre o qual repousam fotografias. A cozinha também conserva os azulejos floridos, talvez um pouco mais encardidos do que me lembrava. Na segunda sala, os sofás antigos com um estofado novo, o retrato, colorido à mão, do casamento de meus avós pendurado sobre a porta de duas folhas que dá acesso ao quarto que dividi com meus irmãos e depois com Amélia, quando era bebê. Tudo semelhante ao que conheci, com exceção dos eletrodomésticos: uma televisão já um tanto gasta, possivelmente de segunda mão, um micro-ondas, uma máquina de lavar.

Raquel me aloja no meu antigo quarto, que agora pertence à adolescente, e coloca a menina para dormir com ela. Me entrega uma toalha limpa e perfumada, ordena que fique à vontade, diz que está muito cansada e desaparece com Amélia para dentro da suíte.

Me sento no chão de tacos para encontrar um pijama em meio à pilha de roupas aleatoriamente organizadas e espremidas no mochilão enquanto observo o cômodo: a cama que foi de Raquel, baixa, de madeira maciça, com cabeceira curva e um rococó esculpido no topo, a pequena penteadeira. Todo o resto são fragmentos de Amélia. Colagens com fotografias de Marilyn Monroe e Frida Kahlo pregadas nas paredes. O que a teria motivado a escolher aquelas imagens? A irreverência dessas mulheres ou simplesmente a beleza da composição? Embaixo da janela, uma carteira de escola, muito gasta, com pedaços de papelão enfiados sob um dos pés de metal, para equilibrar. Sobre a mesa estão espalhados inúmeros lápis de cor e grafites de diferentes espessuras em meio a farelos de borracha e gotas de cola seca. Na cesta debaixo do tampo, tantos pedaços de papel, que tenho a impressão que puxando um, os outros saltarão sobre mim. Será que posso olhar o que está escrito? Pego as apostilas da escola, jogadas de qualquer jeito no chão. A de matemática tem a capa solta. Os exercícios estão feitos somente até a metade, e encontro um bilhetinho entre duas páginas em branco. "Que chatice essa aula",

"Demais", "Me conta um segredo", "Às vezes eu tenho vontade de morrer." Fecho tudo correndo. Qual das duas vozes será a de Amélia? Tinha que ter reparado melhor na letra. O que estou fazendo? Não deveria estar fuçando nas coisas dela.

Mas o que mais posso fazer? Não posso perguntar, e nem quero esperar, descobrir espontaneamente, aguardar a soma do que certamente me entregará a conta-gotas no silêncio dos dias, juntar as migalhas das palavras e expressões que ela parece decidida a me negar. Não tenho outro remédio senão investigar, deduzir.

Talvez seja mais justa sua distância e seu olhar desconfiado. Mas, uma vez mais, o que posso fazer? Sinto o contrário do que tinha me ocorrido poucas horas antes: o laço de sangue grita. O parto, a placenta, o cordão umbilical, o cheiro do sebo e o sugar do meu seio permanecem vivos nos caminhos da memória. Eu não tinha me dado conta. A sua presença, se já não produzia um estímulo capaz de encher meu peito de leite, fazia renascer em meu coração uma ternura da qual havia me esquecido. Mas talvez ternura não seja a melhor palavra. Ou talvez não seja a única. Me vêm também à lembrança sentimentos de outra ordem.

Aos dezessete anos Raquel me colocou dentro da van municipal que partia de segunda a quarta-feira assim que raiava o dia para levar os necessitados ao Posto de Saúde mais próximo, pouco menos de uma hora dali. Me acomodei como pude entre aquelas faces magras, gementes e desdentadas. Fui balançando a menina de cinco dias, que ia enrolada numa fralda de pano e durante todo o trajeto não parou de chorar. Aquele som, que me lembrava o berro de um carneiro, fazia vibrar o desespero como um chocalho incessante ocupando o lugar dos meus pensamentos. Cinco noites sem dormir. Na van as caras murchas me olhavam irritadas, bufavam em desaprovação. Enquanto Raquel disparava: "enfie o peito na boca da menina". Eu tinha vergonha.

A médica passou-nos na frente, nos colocou numa pequena sala, e pediu que aguardássemos. Nesse meio tempo, pela fresta da porta, passava para lá e para cá esbaforida, carregando materiais e aparelhos, direcionando pacientes da unidade lotada para diferentes cômodos, a sala de vacina, de curativo, de medicação. Finalmente fechou a porta e se sentou diante de nós, um pouco descabelada.

"Das Dores, certo? Dezessete anos. Sua primeira filha? Foi planejada? Muito bem, qual é o problema?" Respondi que meu leite era fraco, que estava secando, não sustentava a menina que chorava muito e ficava cada dia mais magrinha. A mulher colocou Amélia numa balança e constatou que tinha mesmo perdido quase trezentos gramas em relação ao peso de nascimento. Pediu que mostrasse como a estava amamentando. Posicionei a criança, que sugou o bico do meu seio sem muita vontade.

A médica olhou para mim e disse "Com licença", enquanto afastava a cabeça de Amélia com uma mão e apertava o meu peito com a outra, fazendo verter gotinhas peroladas. Explicou alguma coisa como: "Veja, Das Dores, não tem nada de errado com seu leite. Você precisa posicionar melhor Amélia para que ela abra bem a boca, pegue toda a auréola e não só o bico, assim evitamos também rachaduras. Além disso, talvez seja bom tirar um pouco da roupinha enquanto ela mama, para que não fique dormindo tanto. Viu como ela está com preguiça de sugar? É por isso que não está ganhando peso." Falou como se reproduzisse um discurso pronto, que parecia acessar facilmente no piloto automático. Era gentil, mas de uma gentileza aprendida e calculada.

Mas então, num gesto que eu não esperava, pareceu dar-se conta de algo, me olhou nos olhos, e depois de um suspiro perguntou: "Como você está? Está dormindo? Está tudo muito difícil?" Lágrimas começaram a saltar dos meus olhos incontrolavelmente. Sentia coisas profundas e poderosas que pareciam vir de toda a vida, se entremeavam, eram impossíveis de distinguir.

Minha mãe ficou em silêncio. Mas eu sentia seu desdém no ar que expirava.

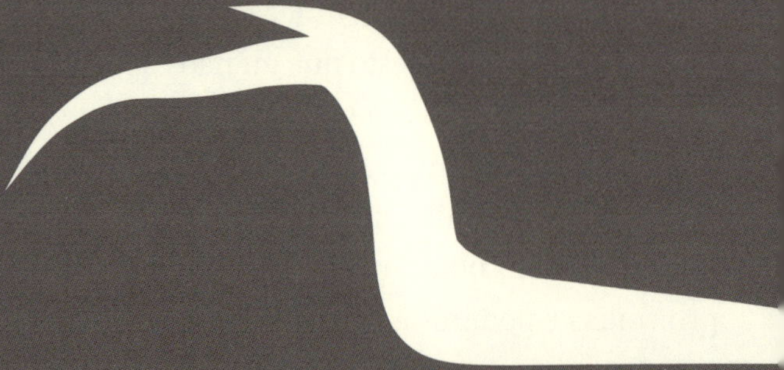

8
Memória

Quando abro os olhos, não consigo compreender onde estou. Até um segundo antes conservava a imagem mental de meu quarto em São Paulo: as paredes brancas; as portas de correr do guarda-roupa, duas delas também brancas e a terceira coberta por espelho; o ventilador de teto; uma estante fina em cuja lateral ainda está colado o esboço a lápis que Arthur fez de mim, sorrindo e apoiando o rosto nas mãos, numa noite no bar. E então, quando me deparo com os móveis antigos e aquela luminosidade estranhamente alaranjada que atravessa a velha janela de madeira, preciso de alguns segundos para me orientar.

Sou atingida por uma sensação conhecida: a vontade súbita de me esconder debaixo da cama, de dar uma desculpa qualquer e ficar ali durante horas sem me mover. É o que desejo ao acordar em todas as madrugadas que precedem plantões.

Sofia Aroeira

Sempre me atraso. Quando o despertador toca, não consigo acreditar que já é hora, caminho para o banheiro de olhos ainda fechados, cabeça baixa, braços pendurados e pés que se arrastam. Somente depois de alguns minutos debaixo da água morna consigo me munir de um pouco de coragem, reforçada por um grande copo de café. Quando encaro a porta, me lembro que meu trabalho é como pular numa piscina de água gelada: começar é a parte mais difícil, mas depois do primeiro choque as horas se desenrolam rapidamente, e a sobrecarga de tarefas, feliz ou infelizmente, não permite que se pense muito a respeito do cansaço ou da dificuldade. Um dia que começa junto aos primeiros raios de sol e, antes que se perceba, são dezenove horas, dezenas, centenas de pessoas passaram por minhas mãos, e os olhos pesam enquanto a cabeça se apoia na janela do metrô.

Me mantenho quieta a ouvir os barulhos da casa, que não passam do ganir de cachorros e gatos a fazer festa pelo raiar do dia, o farfalhar de folhas no quintal, e a sinfonia dos pássaros, nos mais diversos tons, timbres e gritos, saudando a morte da escuridão. Algum tempo depois, não sei quanto, ouço passos firmes no corredor e em seguida o remexer de panelas e talheres na cozinha. Ao comando das ásperas mãos a casa desperta; tilintares metálicos que soam como imperioso alarme e, como em tantas outras ocasiões, o sentimento do dever me impele a levantar.

Antes de deixar o quarto, abaixo o tronco para me ver no espelho da penteadeira e as mechas do meu cabelo se afastam umas das outras como se repelidas por estática. Cafuringa. Amarro os cachos num pequeno rabo, calço as chinelas de borracha e saio.

Na sala de jantar se encena o café da manhã conhecido, um bule ao lado das pequenas xícaras de metal esmaltado, um prato em que se empilham pães amanhecidos partidos ao meio e passados, com manteiga, na chapa de ferro que deve ter a minha idade. Ao lado, uma cuscuzeira recém-tirada do fogo, um prato de macaxeira cozida, sobre o forro de mesa impermeável já bastante gasto, estampado com flores e folhas coloridas – que conheço de memória, pois as formas mal se distinguem.

Quantas vezes acordei, me sentei àquela mesa e briguei com meus irmãos pelos pedaços de pão como se esse não fosse o início de todos os nossos dias. Em São Paulo preparava uma refeição bastante parecida sempre que sentia saudades da Bahia.

Painho, como de costume, manuseia o jornal do dia anterior – eles chegam à vila sempre um dia atrasados – e Raquel nos serve a todos, sem nada dizer. Nessa cena, no entanto, na cadeira que eu costumava ocupar está sentada a menina magricela, completamente absorta em seu celular obsoleto de tela rachada.

Comemos em silêncio e, quando nos levantamos, Raquel nos comunica que devemos nos arrumar para passar o dia com Dona Janaína; sairemos em trinta minutos. Há doze anos não nos víamos, e, no entanto, ali estávamos simplesmente a atestar a existência uns dos outros. No espaço protegido de minha mente, no entanto, formulo perguntas, simulo diálogos. Enquanto me visto, penso naquelas esculturas de pedra em torno da mesa de café. Há quanto tempo estão ali, dentro de uma fotografia que gradativamente se desbota? Estou de volta a ela. Um dia, a luz terá levado as cores, restará o papel branco, e então uma nova família virá ocupar nosso lugar. Haverá um momento em que poderei encontrar sentidos mais compreensíveis, mais palatáveis? Algum dia enxergarei o que há além do visível? Vejo a mesma superfície, mas o que há no fundo? E no fundo mais fundo? Pressinto perguntas perigosas revolvendo-se na escuridão, animais marinhos agitando-se no ventre obscuro do oceano.

Chegando à cabana de Dona Janaína, encontro as mulheres sentadas do lado de fora com olhares desolados; penso no pior. Corro porta adentro.

Primeiro passo não vou aguentar encontrar seu cadáver minha avó morta muda segundo passo estará inchada e se eu não for capaz de reconhecê-la terceiro passo *rigor mortis* não quero vê-la traída derrotada pelo peso da matéria ela dizia quando eu esticar as canelas e ria quarto passo a pele pálida os olhos desidratados ela não estará ali naquele defunto quinto passo os músculos endurecidos o corpo numa posição estranha um dedo ereto e torto como um galho seco sexto passo liberação de esfíncteres Janaína entregue às indignidades do corpo destituída de sua eternidade.

Não quero vê-la como vi outros cadáveres: velha e fraca. Parecida demais com um parente num retrato pintado à mão, os olhos vitrificados.

Para minha surpresa, encontro minha avó sentada em sua cama com um semblante muito mais vívido do que na minha última visita; sorri quando me vê à porta. Sussurra, como quem é pega no meio de uma travessura: "Rute, Rute, entra aqui". Me estende a mão e eu a seguro. Gesticula animada e cheia de afeto, abre a boca num sorriso descontraído que faz do seu rosto uma coisa toda nova. "Vem, vamo experimentar aquela calça antes que Mainha e Painho chegue em casa", e gargalha. Rute? Já ouvi esse nome. "Janaína, Rute é sua irmã?", "Oxe, Rute, que besteira, claro que você é minha irmã, minha irmã mais querida!" e me abraça, apoiando a cabeça no meu ombro. "Janaína, eu sou a Dora, lembra? Sua neta." E ela responde, rindo, que pare de bobagens, é óbvio que não tem idade para ter netos, o que eu andava pensando, que brincadeira era essa.

Assim que piso no quintal, as mulheres me rodeiam aflitas, perguntando se Dona Janaína perdeu o juízo. "É comum que pessoas idosas com doenças graves desenvolvam um quadro demencial agudo, chamado *delirium*. Elas ficam mais confusas mesmo. Pode ser passageiro. Muitas vezes é." Percebo suas posturas se relaxando, o pânico se tornando uma preocupação localizada no terreno da racionalidade. Pela primeira vez se estabelece entre nós um fenômeno frequente no cotidiano do hospital: a sensação de que minhas palavras são munidas de autoridade, e que aquelas pessoas orbitam em torno de mim em busca de acolhimento e orientação, como se eu fosse a bússola necessária para enfrentar o terreno vacilante da vulnerabilidade humana. Me encarrego da segunda metade dessa equação, visto a calma de quem tudo sabe.

Mas os músculos que esticam meu sorriso tranquilizador puxam também as cordas de outro instrumento dentro do tórax, que ressoa dando o tom da melodia da desordem.

O que resta de Janaína sem sua memória? O que resta de minha avó se findar o colo, o movimento pendular da cadeira de balanço e suas histórias fantásticas? Se não mais puder, com um olhar zombeteiro, marcando o ritmo com as mãos, entoar pontos, gingando com os quadris? Se não conseguir pular coco e abrir e fechar os braços no batucajé? E nem for capaz de contar como foi trazida para a Umbanda por Iansã, num encontro raivoso que quase pôs fim à sua vida?

Contava dessa tempestade sempre que ouvia alguma música de Dorival Caymmi. De como precisou estar tão perto de ser enterrada na calunga grande, o mar, para sentir o cheiro do sal e compreender que ali jaziam seus irmãos, aqueles que morreram nos porões de navios negreiros ou nadando a esmo em busca de liberdade; que era preciso voltar a eles, resgatá-los, ouvindo os ensinamentos dos Pretos Velhos e dançando com os Orixás.

A memória é a costura fina a alinhavar passado e presente. Sem ela não há tempo, nem singularidade, nem história. Não há a sabedoria de Janaína. Diante de mim, a velha se fez novamente menina, minha avó voltou no tempo, para muito antes de tudo o que soube sobre ela. Vi no rosto envelhecido uma expressão alegre, um trejeito leve e desobediente de uma Janaína moça que jamais conheci. Mas, onde estava minha avó? Precisava tanto de sua orientação... O que faço, Janaína, o que faço se você não voltar a ser você? Se meus pés se soltarem do chão e eu sair flutuando como um balão sem rumo? Preciso que me ensine. Ainda tenho que te perguntar tantas coisas. Me conta do seu passado, me conta de sua irmã Rute. Janaína, quantas são as formas de perder alguém?

Na UTI, se ninguém estivesse olhando, me sentava ao lado dos velhinhos, para assistir seu retorno ao passado. Havia beleza naquilo. Eles mergulhavam no curso de uma vida e encontravam no fundo um tesouro esquecido. Submergiam como velhos e vinham à tona como meninos que encontraram moedas no chão da piscina. Resgatavam o que estava perdido para sempre, reviviam o que não tem caminho de regresso. Fantasmas que, ressuscitados, ganhavam materialidade. "Ouviu o assovio? Papai chegou. Que cheirinho bom, mamãe está fazendo café." Quando o corpo cede, a mente se esconde na trincheira de seus momentos essenciais. Arthur me contava como sua avó – uma mulher que sempre amou a música e nela encontrou a felicidade que não havia em nada mais –, depois que o Alzheimer já tinha tomado a fala e o caminhar, ainda sabia gemer em notas precisas, enquanto ele a acompanhava no violão. Claro que os netos vêm muito depois e serão esquecidos. "Pimenta nos olhos dos outros é refresco", diria vovó. Não sou uma parte essencial da história de Janaína?

Mais calmas, as mulheres se colocam a realizar as tarefas pendentes: dos cuidados a Vóinha – seu banho, suas medicações, suas refeições – à limpeza da casa e os rituais religiosos. Naquela manhã, dois médiuns do terreiro vieram cuidar da espiritualidade de Janaína. Tia

Rosa e tia Esmeralda, que trabalhavam como cambonos no Centro, assessoraram a sessão, e para isso, vestiram-se de branco e penduraram no pescoço suas guias. Todos os demais deveriam se quedar do lado de fora.

Aquela restrição me provocou um impulso de desobediência. Ora, não era eu que estava cuidando da saúde de minha avó? Me coloquei atrás da cabana, num ponto em que conseguia espiar pela janela parte do que acontecia no quarto. Depois de defumar todo o cômodo, os médiuns se preparam para incorporação, e, de repente, estão transformados em um Caboclo e um Preto-Velho.

O Preto-Velho assume a postura encurvada, o rosto ganha traços de ancião, as pálpebras fechadas pesam, a boca cai flácida, projetando-se para frente. Cata sua bengala, acende seu cachimbo, e, apoiando-se no cajado com a mão esquerda, pega o fumo com a direita e circunda o corpo de Janaína com fumaça, fazendo movimentos circulares e dando pausas nas quais segura o cachimbo nos lábios e apoia a mão direita na corcunda.

O Caboclo parece agigantar-se, ganha um semblante sério. Tenho a impressão de que as laterais de seus olhos escorrem um pouco pela face e que o nariz se alarga. Com a coluna ereta, curvada alguns graus para frente, uma mão apoiada na lombar, e os pés batendo continuamente no chão, faz sons graves com a boca fechada, vindos do fundo da garganta, e chacoalha suas guias ao redor de Janaína.

Cada um deles acende uma vela, saca ramos de arruda que molham em uma bacia de água, respingando gotas sobre minha avó, e passando-os, em seguida, pela chama tremulante. Depois, a ajudam a se sentar apoiando os pés no chão e iniciam um movimento de apoiar as mãos sobre sua cabeça por um instante e descê-las rapidamente, percorrendo todo seu corpo, até a terra batida.

Observo como o pescoço de minha avó se move, de um lado para o outro, como se não compreendesse bem o que se passa e procurasse alguma referência. Quando a conduzem para que se deite na cama, vejo de relance sua expressão de criança assustada. Parece recordar-se, no entanto, de algo profundo e sem nome, porque em nenhum momento oferece resistência, permanece muito quieta e em silêncio. As entidades procedem a longas orações, com as mãos erguidas sobre a cabeça e o peito de minha avó. Não quero mais assistir. Caminho para mais próximo do mar, fico ouvindo o barulho das ondas, enquanto fumo um cigarro. Depois retorno para a cabana.

Quando os dois homens saem, estão transformados, novamente, nos mesmos que entraram. Minha família se despede, com gestos esperançosos e muitas palavras de agradecimento. Penso que, assim que eles forem embora, vou falar para as tias não criarem expectativas, não dá para saber que bem esse ritual pode fazer, me preocupa que tenham tanta esperança na religião. Quando as vejo, porém, entrando felizes na cozinha, me calo.

Na hora do almoço, nos sentamos todos à mesa dos fundos e então tenho notícias dos meus irmãos mais jovens, João e José – João está morando num pequeno povoado próximo dali, se tornou motorista de caminhão e está levando um carregamento para o Amazonas; José se mudou para Salvador com a esposa, trabalha como motorista de aplicativo e tem dois filhos – mas ninguém fala de Antônio. Por quê?

Terminamos de comer, Amélia veste o uniforme, pega a mochila e sai em direção à escola. Olho enquanto a menina se afasta, e, a cada passo seu, uma pergunta cresce e se agita. Corro atrás da garota, e, a alguns metros da casa, grito: "Amélia, cê tá em qual série?" Abrindo um sorriso amarelo e debochado, ela responde "E pra que cê quer saber?" Se vira e segue andando. Apoiada na porta, Raquel ergue as sobrancelhas. "Ela tá no nono ano, Dora."

9
Carcará

Carcará pega, mata e come
Carcará não vai morrer de fome

Carcará • João do Vale

Sabe-se lá por qual razão sob vigência do Sol ou da Lua o funcionamento de nossos organismos parece se alterar. Dona Janaína sempre disse que as doenças pioravam à noite, mas, até me tornar enfermeira, acreditava que se tratasse de mais uma de suas superstições. E, no entanto, é fato. Por alguma razão os quadros de saúde se agravam muito na madrugada. Supunha que por alguma alteração na concentração dos gases poluentes do ar, mas ocorre mesmo em casos que nada têm a ver com a respiração. Como se a energia solar tivesse íntima ligação com a energia vital.

Passei aquela noite com minha avó. As mulheres acharam que, diante da deterioração de seu quadro mental, seria mais prudente. Assim que o sol se pôs, me despedi de todos e voltei para a cabana.

A velhinha dorme, e me deixo estar na varanda, fumando um cigarro, observando, a partir da luz fraca que me ilumina, a escuridão que revela apenas as folhas de algumas árvores mais próximas quando se movimentam; e as estrelas, tantas estrelas que, em certas áreas, o negro do céu é substituído por um brilho branco, dos astros que se sobrepõem sob o meu olhar, capaz de pôr lado a lado corpos que se encontram a infinitos de distância. Há quantos anos eu não via um céu assim...

Também os ouvidos enxergam bichos submersos pelo negrume, cigarras, sapos e besouros, com seus sons metálicos e hipnóticos. O mistério do silêncio dos barulhos humanos, deixando que tudo mais falasse, preencheu minha adolescência e eu tinha com ele uma relação contraditória. Naquela casa afastada de tudo, temia as forças da natureza e, ao mesmo tempo, era atraída por sua quietude desconhecida. Nunca soube se aquilo significava que existiam olhos à espreita, escondidos no escuro, ou simplesmente a calma desconcertante de estar absolutamente em contato comigo. Tantas vezes estivemos ali, Janaína e eu em solidão, em meio a um aparente nada, mas agora a relação está invertida: já não sou eu que conto com sua retaguarda anciã para enfrentar a noite, mas ela que, frágil em seu leito, conta com a minha guarda para velar seu sono e vir em seu socorro nos sofrimentos do fim.

Gameleira-branca

Como tinha o costume de fazer anos antes, me sento na cadeira de balanço e pego um livro. O lugar é imbuído de algum encanto que não posso explicar. Alguma coisa se infiltra no deque de madeira onde apoio meus pés, afastando os chinelos, alguma coisa na brisa úmida da mata, no barulho distante das ondas, no tímido feixe de luz amarela, que me faz apertar os olhos para enxergar, no ranger repetitivo da cadeira. É como se a cabana tivesse brotado do chão, como se sempre tivesse pertencido aos seres do entorno; está perfeitamente integrada à dinâmica da mata. O vento que sopra em direção ao oceano percorre o espaço entre as folhas, guia o voo dos pássaros – de asas abertas, planando contra o ar – e dos insetos carrega o pólen para que outras árvores possam nascer, toma a casinha, chacoalha meus cabelos, se enrola em minhas pernas, move a cadeira de balanço, provoca uma oscilação suave nas madeiras que sustentam o telhado da varanda, adentra pela janela, alcança as ventas de Janaína e depois corre para dar notícia dela à sua mãe Iemanjá. Ouço o cricrilar dos grilos e, um pouco à frente, uma nuvem de vagalumes faz acrobacias, orquestrando giros em reverência às estrelas. Vovó dizia que Oxóssi protegia a floresta com seu arco e flecha. Imaginava-o lá, dentro da noite, acocorado com os pés descalços sobre as árvores, duas tornozeleiras de búzios, guizos imitando o som do chocalho da cascavel quando ele caminha, confundindo seu passo com o farfalhar das folhas. "Oxóssi é a própria mata, todas as plantas, todos os bichos", dizia Dona Janaína. Apoio meus pés sobre o deque, e alguma coisa pulsa da terra para mim. Sou parte. No tempo de uma piscadela, cílios sobre cílios, consigo compreender o canto das cigarras. Elas me contam o que eu nunca soube, que a morte está grávida de vida, borboletas que rebentam em rasante colorido de dentro de uma carcaça.

Sou arrastada para dentro do texto. Entro nesse universo novo, que se desfolha com o passar das páginas; já não vejo a materialidade do livro. Em minha mente, as palavras ressoam, ouço a narração e imagino as cenas; só retorno à cabana quando preciso descansar os olhos, ou quando alguma movimentação externa arranca a minha atenção da narrativa. Isso também há tempos não acontecia. No ritmo acelerado da metrópole, do transporte público lotado, dos horários apertados, das milhões de notícias, das redes sociais e suas páginas virtuais que se abrem para outras páginas virtuais, tinha perdido a habilidade de me perder numa história escrita e fisicamente acomodada em minhas mãos. A mente fora ficando cada vez mais parecida com a cidade, com sua multiplicidade, seu excesso de informações, sua velocidade. O foco e a atenção tornavam-se cada vez mais desafiadores. Mas ali, naquela varanda entalhada num lugar sem tempo, pela primeira vez em muitos anos me perco num livro. Que falta me fazia.

Só sou puxada definitivamente para fora dele quando ouço Dona Janaína tossindo e respirando com dificuldade.

Encontro minha avó agarrando as bordas de seu colchão com força, buscando o ar como um peixe fora d'água. As costelas se demarcam continuamente no esforço da musculatura para fazer chegar o oxigênio, e uma coisa tão trivial como respirar torna-se um exercício ruidoso. Corro até ela. Quando me vê, agarra meu braço fincando as unhas, e no esforço sofrido de inspirar, arregala os olhos. Não sei se me reconhece, ou se tem somente a vaga noção de que sou familiar. Abre tanto a boca que vejo sua úvula e os dentes cariados. Quando inspira, suas clavículas ficam nítidas como se não houvesse nada além de pele sobre ossos. Assisto enquanto minha avó se afoga. Ela aperta ainda mais meu punho, as unhas começam a me ferir. Seus olhos estão totalmente negros, pupila tomando a íris. Dois abismos sobrepostos em que Janaína despenca, quilômetros de queda livre, chacoalhando os braços, pesada demais. Do ar cai dentro da água, e continua se afundando, corpo de chumbo, bolhas em turbilhão a envolvem, Janaína afunda mais rápido. Da água cai dentro da terra, e segue sendo arrastada, se prende em raízes e se fere nas pedras. É soterrada, sufocada. A boca cheia de terra. Formigas saindo de dentro da boca.

    A imagem de minha avó agarrada a mim, com uma expressão de medo e sofrimento que nenhuma alma penada tinha sido capaz de lhe imprimir, puxando o ar ruidosamente, com os ossos ressaltados pela contratura violenta dos músculos respiratórios, me perturbaria dali em diante. Tento substituí-la por outros momentos, com a intenção de apagar aquele, mas é inútil, a imagem precisa conviver com as demais, e se colocar em oposição a elas. Sou obrigada a me lembrar de tudo e assim equacionar a existência de minha avó. Ou talvez não sua existência, mas o que restou dela, as coisas das quais posso me recordar – o que passa sempre e novamente pelo meu coração quando evoco sua presença.

Falo com Janaína no tom de um adulto que acalma criança, solto com cuidado seus dedos do meu braço, suspendo-a na cama, ajeitando para que fique sentada, apoiada nos travesseiros, preparo o inalador com soro fisiológico e fixo com um elástico no seu rosto, busco um óleo de eucalipto que ela mesma preparou anos antes e esfrego em seu peito e costas. Aquilo parece dar-lhe algum conforto, embora siga puxando o ar com dificuldade. Permaneço ali, ao seu lado, madrugada adentro.

Ela fica muito quieta, se poupando de qualquer esforço, não deixa de me mirar um só segundo. Tento sustentar também o meu olhar, para que atravessemos as horas assim, almas unidas. Dependendo de onde me apoio, da postura, da inclinação do meu tronco na cadeira, do reflexo da lâmpada, os olhos de Janaína refletem a menina que conheci pela manhã, e ela me parece tão quebrável que tenho pena. Outras vezes vejo minha avó. O olhar grave parece dizer "veja, Dora, testemunhe, sente, filha, sente, se doer, deixa a dor tomar conta, não faz mal, veste minha pele, aprende". Ouço sua voz em silêncio, e quero obedecer. Mas é demais. Quando o corpo cru de minha avó é pura matéria, quando está morrendo, desvio o olhar. Abandono Janaína, deixo a mente vagar. O alaranjado da luz que atravessa minhas pálpebras lembra as tardes na praia.

Tenho dez anos, Raquel diz que estou muito grande para isso, mas ainda gosto de construir castelos de areia, cada vez maiores. Faço portas e janelas, andares, poço de água na frente, muralha em volta. Vovó se aproxima, diz que está muito bonito e me pergunta "quem mora nesse castelo, Fulô?" É o convite para brincar. "Um rei bem pequenininho, muito tempo atrás ele morava num castelo de verdade, até se apaixonar por uma princesa." Janaína continua "é mesmo, Fulô, agora tô lembrando, ele ficou apaixonado pela princesa, mas ela já tava prometida pra outro". "Isso, Vóinha, ele ficou tão, tão triste, que começou a esquecer as coisas e a diminuir de tamanho", "E o castelo ia ficando cada vez maior pra ele. No dia que ele se perdeu dentro de um armário, e quase foi comido por uma aranha, achou que tava na hora ir embora." "Ele chamou todos os criados, subiu na orelha da cozinheira e ficou gritando dentro do ouvido dela, pra ela passar o recado pros outros." "'Meus queridos criados, muito obrigado por terem cuidado de mim a vida inteira, mas agora tô pequeno demais, um de vocês pode acabar pisando em mim sem querer, melhor eu ir embora. Ah, e podem ficar com meu castelo'. Todos concordaram com muita alegria, dizem que o arraial lá naquelas bandas durou três dias e três noites, com muito forró e comilança, a única pessoa que ficou triste foi uma mocinha que lavava as roupas do rei e sempre achava uma história de cordel no bolso da calça dele", "uma história de cordel, vovó?", "pois sim, uma história de cordel, que num tem coisa mais linda pra conquistar o coração de uma mocinha. E por isso ela seguiu o rei, que nessa época já tava quase do tamanho de uma formiga, pediu pra ele esperar – ele quase morreu de susto com aquela voz de trovão, mas deu pra entender. Aí ela deitou no chão, bem do lado dele, e falou muito, muito baixinho. Disse que ia construir um castelo de areia pra ele morar, e que ia voltar todos os dias, pra construir um ainda mais bonito, quando o mar tivesse quase levando aquele embora." "Palmas!", e nós duas aplaudíamos e fazíamos reverência para um público imaginário.

Quando amanhece, a respiração de Janaína começa a melhorar. Em certo momento puxa a máscara do rosto e, com palavras entrecortadas, diz: "Dora, lembra do dia que você mudou pra cá? Você era um bichinho assustado, e olhe que formosura de mulher agora".

Aquela noite. Eu tinha doze anos, era um pouco mais corpulenta que Amélia, carregava uma mochila e mais algumas sacolas, lágrimas nos olhos e a boca cortada e inchada. Dona Janaína me esperava à porta, observava enquanto me aproximava, e quando a alcancei, tirou as sacolas das minhas mãos e abriu os braços, me segurando rente ao peito. Me colocou para dentro, passou um chá de hortelã, me deixou na cozinha e partiu para o quarto, abrindo espaço no seu pequeno armário para acomodar minhas coisas. Dobrou com cuidado as poucas roupas que eu tinha, organizando-as com tanto esmero quanto pode haver num conjunto de peças empilhadas no fundo de um guarda-roupa antigo.

Voltou à cozinha e colocou uma panela grande de água para esquentar no fogão, me preparando um banho quente, enquanto me servia de broas de milho que tinha assado no dia anterior. Se sentou e segurou minha mão esquerda sobre a mesa. Começou a me contar uma velha história, minha preferida, que ouvi, sentada em seu colo, embalada pela cadeira de balanço, incontáveis vezes ao longo da infância.

Contava que, há muito tempo, lá no sertão, vivia um pássaro filhote, criado por uma família de urubus, ridicularizado por ser diferente. Enquanto os irmãos tinham as penas muito pretas, a cabeça acinzentada e ovalada, o pescoço fino, ele tinha a cabeça branca e mais achatada, com um penacho preto no topo, o peito listrado de branco e preto, o pescoço grosso, o rosto depenado e alaranjado, um bico mais curto.

Dividia com eles os banquetes de carniça, mas gostava mesmo era das cobras, lagartos e ratos do mato. Os irmãos caçoavam, o arranhavam, bicavam suas asas. Para que caçar se ali estava a carcaça apetitosa, totalmente imóvel? Só mesmo um bobo para gastar energia num esforço desnecessário.

Ele planava nas grandes altitudes, aproveitando a brisa fresca do fim do dia, se escondia na copa das árvores, enquanto seus irmãos eram mais habituados a voar baixo. E quando cantava, seu grito entoava "Car-ca-rá! Car-ca-rá!" Um dia, em meio à vegetação, na beira de um riacho, ouviu alguém lhe respondendo à distância com o mesmo grito. Sobrevoando o córrego, viu no reflexo das águas outro pássaro. Tinha o mesmo jeito de planar nas alturas, o mesmo peito riscado, os mesmos olhos de falcão. Nunca mais retornou para a família de urubus, pois – para o final, Dona Janaína fazia uma pausa dramática, erguia os braços e a voz, entoando sempre a mesma frase – "descobriu que era Carcará, caçador de bico afiado, pássaro valente, rei do sertão!"

Sofia Aroeira

    Me lembro de que, ao ouvi-la narrando carinhosamente a mesma fábula, com a mão entrelaçada à minha, diante das broas de milho e do chá de hortelã, tive a estranha sensação de que me contara tantas vezes aquela história somente para que naquele momento a soubesse de cor. Janaína enlaçava o tempo como qualquer um de seus novelos. E eu compreendia finalmente o que sempre quisera me dizer.

10
Mordaça

Quando as mulheres chegaram à cabana, pela manhã, me despedi de minha avó e segui para a casa de Raquel. Painho me ofereceu carona no caminhão, mas preferi ir andando.

Caminhei o quanto pude pela orla, sob um sol que, mesmo naquele horário – certamente não eram mais do que oito horas – mostrava ao que tinha vindo. Na praia brilhava uma série de vestígios daqueles homens que se levantavam ainda de madrugada e deixavam suas casinhas de madeira, suas famílias aflitas, sem saber se seria aquele o dia em que o mar venceria finalmente o combate cotidiano, e dona Iemanjá, farta da misericórdia, tomaria definitivamente para si aquelas barrigas que por tantos anos alimentou de peixes. Imaginava-os lá, além do horizonte, flutuando em seus barquinhos, com chapéus de palha, tão imóveis e silenciosos que estariam diluídos na paisagem, num estado de pura espera, de comunhão com o todo da existência em sua matéria bruta. Seriam como rochas, como ilhas.

Meus pés empurravam a areia pesada e contornavam as redes e tralhas de pesca. Pouco antes de encontrar a região pedregosa da praia, dobrei à esquerda para pegar um atalho roçado em meio ao mato alto. Alguns metros à frente começava uma estradinha de terra, e mais adiante, o asfalto. Essa também era uma novidade, doze anos depois a vila tinha encontrado a pavimentação, o esgoto e a água encanada. As fossas e cisternas, abandonadas, sem uso, permaneciam como peças de um museu, fósseis; quem sabe um dia, olhando para elas, crianças como Amélia compreendessem como viveram seus pais e avós, o que fora o Brasil.

Sobre um morro baixo estava erguida a igreja que marcava a fundação da cidade, ao redor dela, pequenos comércios. Partindo radialmente da praça, algumas ruas, na maior, dois bares, a escola, a prefeitura e, um pouco mais afastada, alguma coisa parecida com uma rodoviária. Era tudo. Entrei na casa de Raquel, que ficava sempre com o portão aberto, joguei-me na velha cama e dormi antes de encostar no travesseiro.

Acordo, pego o celular no chão ao meu lado, quase dezoito horas. Começo a ouvir um diálogo entre Amélia, que devia ter chegado há pouco da escola, e minha mãe. Levanto num pulo e colo o ouvido à porta. A garota pede emprestado o celular da velha para ouvir música, recebendo em troca a negativa seca típica de Raquel. Insiste ainda uma vez, choramingando porque a saída de áudio de seu telefone está com defeito. Imagino que a expressão de Raquel tenha sido suficiente para dissuadi-la, porque, sem mais qualquer palavra, se retira para o quarto, pisando forte e suspirando fundo.

Afobada, procuro em minha mala um antigo mp4 que usava para correr. Imagino que minha seleção de músicas possa interessá-la, quem sabe Amélia enxergasse aquele presente como um convite, ficasse feliz, se interessasse por mim, deixasse crescer o desejo de me conhecer. Não considero qualquer outro desfecho.

Corro na ponta dos pés até o quarto de Raquel. Diante da porta fechada, um pequeno conflito: não sei se devo bater ou entrar sorrateiramente. Em outra circunstância, claramente o melhor seria bater, mas como me apresentaria? Todas as frases que imagino me parecem bobas e constrangedoras, por isso, empurro a porta em silêncio e coloco pouco a pouco a cabeça para dentro.

Ao me ver, Amélia solta um berro e puxa para si o travesseiro e a coberta. "O que cê veio caçar aqui, Das Dores? Ninguém te ensinou a bater na porta, sua cavala? Tá doida? Tá achando que essa casa é sua, que pode ir enfiando esse nariz de dondoca aí em qualquer lugar? Só porque cê veio da cidade grande? Sua ronca e fuça!" Lança um travesseiro em mim exatamente quando tento deixar o mp4 sobre a cômoda, o que fez com que o aparelho salte da minha mão e role pelo piso de tacos. "Amélia, é um presente... Eu só queria te dar o mp4, eu ouvi sua briga com Raquel..." "Mas é uma introna mesmo! Alguém pediu sua ajuda, Dora? Fique na sua! Vê se eu quero presente seu, sua jumenta." Seguro a maçaneta para sair, mas estaco ao ver os olhos da garota cheios de lágrimas, ela limpa o nariz e faz beicinho quando diz "cê nunca me deu um presente de aniversário, cê nunca veio. De que que serve essa bosta agora?" Me imagino respondendo que tinha sim presenciado um aniversário, o primeiro. Bato a porta com força – "Malcriada!" – sem resgatar o mp4 do chão, e me deparo com Painho, acomodado à mesa da sala de jantar.

Assim que me vê, ordena que me sente para tomar um copo de café enquanto Raquel cuida do quintal. Deve ter ouvido o desabafo da neta. "Dora, eu e a mãe cuidamo de Amélia desde que era uma bacurizinha banguela, cê lembra. Um dia, ela era toquinha ainda, acho que foi na época que entrou na escola, começou a chamar eu de 'Painho' e Raquel de 'Mainha'. Não foi culpa nossa, nós sempre disse que a mainha mesmo dela não era véia que nem nós, era estudada, morava na cidade grande lá no Sudeste. Mas fomo deixando quieto. Ela não perguntava, não falava disso, e dava birra se a gente tentava conversar, mas toda boneca que Dona Jana fazia ela dava nome de Dora. Ela faz de forte, que nem você, Binha, mas todo aniversário, sem faltar um, fica sentada do lado do telefone, tenho pra mim que tivesse esperando telefonema seu."

Seguro o choro o quanto posso, mas, em algum momento, os olhos estão cansados, as pálpebras emagrecidas tornam-se ralas, transparentes e meu rosto despenca. Painho parece ver tudo com sua visão de águia. Levanta-se e pousa uma das mãos no meu ombro, segurando-a ali somente pelo tempo de dizer "a vida é dura, fia", seguindo para a cozinha para me trazer mais uma xícara de café.

Gameleira-branca

    Nunca liguei. Embora não tenha deixado de viver um só primeiro de julho sem ser atravessada pelo frio que convertia São Paulo em uma coisa anormalmente nublada. Numa dessas ocasiões, fazia pouco que conhecera Arthur, embora fosse quarta-feira, convidei-o para sair. Ele estranhou, era meio de semana e as temperaturas prometiam alcançar os seis graus na madrugada, mas, ainda assim, aceitou o convite entusiasmado.
    Eu tinha um plantão na manhã seguinte, o mais prudente seria permanecer em casa, mas desde o momento em que acordei sentia que seria impossível passar sóbria por aquele dia. Saímos, agasalhados com nossos casacos e cachecóis. O bar, apesar da roda de samba, estava vazio. Arthur tentava, como sempre, me envolver com seus braços, beijava o topo de minha cabeça. Eu não queria seus carinhos, mas tinha pena de afastá-lo, fui eu que tirei ele de casa, vou ficar parada para ver se ele percebe. Assim que entramos, me dirigi ao balcão e pedi uma dose de cachaça; tomei o copo da mão do garçom antes que tocasse a mesa. Meti o líquido para dentro e fiz cara feia. Arthur riu.
    Na mesa, viro copos de chope e doses de pinga, uma atrás da outra. Na quarta rodada, uma ruga de preocupação surge na face de meu namorado. "Meu bem, o que tá acontecendo? Tá muito rápido, Dora, você vai desmaiar." Minha cabeça gira, já não consigo articular frases sem que a boca amolecida denuncie minha embriaguez. "Você é enfermeiro?" "Não tô falando isso, meu bem." Ele segura a minha mão quando tento chamar novamente o garçom. "O quê!?" Solto uma gargalhada.

"Você acha que vai me regular? Hein, Arthur? Hein?? Não quer ver sua mulherzinha embriagada, é feio mulher bêbada, né? Não é, Arthur?! Sabe o que é isso? É insegurança. Você não é homem pra mim."

Ele me olha, franze a sobrancelha, aperta a boca, vejo os gritos se formando por detrás dos dentes. Mas encerram-se ali. Arthur funga, se levanta, tira uma nota de cinquenta da carteira, joga sobre a mesa e sai. Peço mais um chope e uma cachaça.

Minutos depois retorna, me levanta da cadeira, e me acomoda em seu peito "vou te levar pra casa". Começo a chorar e não paro mais. Sigo soluçando enquanto ele pergunta o que está acontecendo, o que está acontecendo. Vomito no Uber. Chegando ao apartamento, Arthur segura meu cabelo para que coloque todo o resto para fora, me acomoda na cama, troca minha roupa, se deita ao meu lado, e antes de adormecer me pergunta mais uma vez, numa voz mansa, "o que aconteceu?"

As palavras se formam na minha língua, "hoje minha filha está fazendo dez anos", mas não consigo vocalizar. O silêncio me embala para um sono sem sonhos e no outro dia falto ao trabalho.

Não liguei para Amélia naquele primeiro de julho, nem nos que o precederam, e também não ligaria nos seguintes.

11

Animais noturnos

Cada um guarda mais o seu segredo
A sua mão fechada,
A sua boca aberta
O seu peito deserto
A sua mão parada
Lacrada, selada
Molhada de medo

Na hora do almoço • Belchior

A noite traz uma cor própria para o mundo. Era o que eu observava, encarando o teto, deitada na cama que fora de Raquel, minha e agora de Amélia. Vinha tendo dificuldades para me adaptar aos horários da casa – por volta das nove da noite, todas as luzes eram apagadas, e o silêncio passava a reinar, rompido somente pelos grunhidos esganiçados das criaturas noturnas, terreno fértil para os pesadelos e fantasias de mentes atormentadas.

Não conseguia dormir. Por volta de meia noite, ou pouco mais, desisti de lutar contra a insônia e me levantei. Como em tantos momentos no passado, era o único ser desperto a caminhar numa casa adormecida, em meio a um povoado que mesmo em seus dias mais vívidos parece esquecido pela história. Adormecido, beira às raias da inexistência.

Arranquei algumas folhas da erva cidreira plantada numa velha lata de tinta no quintal e fiz chá. Me sentei à mesa e deixei o pensamento fluir em paz, acalentada pelo vapor cítrico do capim-limão. Ao percorrer o aparador, me detive numa fotografia. Ficava na segunda fileira de porta-retratos, escondida entre uma foto do casamento dos meus pais e uma imagem de Antônio de beca na formatura da pré-escola. Me aproximei para ver melhor.

Na fotografia, Raquel, nos seus trinta e poucos anos, com bobs nos cabelos, sorri enquanto alimenta a mim, uma criança de cerca de dois, sentada em seu colo, fazendo bagunça com a papinha. Carrega no rosto a expressão típica das mães das páginas de revista, um olhar condescendente contendo um misto de afeto, orgulho, graça e cansaço. Seria uma cena comum – uma mulher cuidando de sua filha mais nova, rindo afetuosamente das aventuras de seu desenvolvimento – exceto pelo fato de que a mãe é Raquel, e a criança sou eu.

Aquele retrato sempre esteve ali, e certamente passei por ele uma infinidade de vezes, mas creio que jamais o tenha mirado com atenção. Com o nariz quase colado na fotografia, observo detalhe por detalhe. Os dedos compridos de Raquel, as unhas um pouco maiores do que deveriam, a aliança no dedo anelar da mão esquerda repousada sobre minha barriga. O rosto inclinado alguns graus para baixo, a expressão de alguém que, de repente, vê beleza numa banalidade, se deixa preencher, despretensiosamente, por carinho, sorri para si em segredo – e alguém nota. Supunha que, de modo geral, fotografias documentassem instantes comuns, momentos que, de tanto se repetirem, um dia acabaram capturados pelo obturador de uma câmera alojada – e, por sorte, pronta e a postos – nas mãos de um observador gentil... Deito o porta-retratos com a imagem para baixo.

Meus olhos são atraídos para a fotografia logo adiante. Antônio, com seis ou sete anos de idade, alegre, sem se deixar intimidar pela ausência dos dois incisivos superiores, com o cabelo – único liso em toda a família – muito bem arrumado com gel e pente fino, vestido com uma beca azul brilhante, segurando um canudo que todos sabemos vazio. Também ali há uma docilidade e uma vulnerabilidade que não constam no inventário que faço a respeito de meu irmão mais velho.

Observo minha mão direita. Meu instrumento de trabalho. Nunca mais pensei nisso... Eu devia ter cinco anos, Antônio doze ou treze. Ele é um menino grande, troncudo, bonito, a pele queimada de sol, os cabelos levemente ondulados – a moldura perfeita para o rosto – o nariz arrebitado, os olhos discretamente puxados. Me encara empoleirado sobre o tronco de uma árvore, com os cantos da boca voltados para cima e as meninas-dos-olhos excitadas. Está se divertindo e é tão alto, está tão alto quando diz "Fióte de Xibum! Cê é a mais feia da família, Das Dores, quando cê nasceu eu lembro, Mainha olhou pra sua cara de cruz credo e chorou de desgosto.", "Para, Tunico!", "Ninguém queria você, ninguém, ficou todo mundo triste, parecia um velório", "Para!", "Você é feia demais, como que cê aguenta essa cara de carranca?" Me agacho, os cotovelos abraçando os joelhos, corpo bem próximo da terra, enfio os dois dedos indicadores nos buraquinhos das orelhas, e me lembro do apelido que os moleques da rua colocaram no meu irmão quando descobriram que ele ainda faz xixi na cama "Tunico Penico! Tunico Penico! Tunico Penico! Tunico Penico!" De olhos fechados, sinto o impacto de Antônio pulando de cima da árvore na minha frente, pouco depois, começa a puxar meu braço direito, querendo destampar meu ouvido. Tento resistir, mas não consigo. Ele torce meu braço, ai ai ai. Torce mais, e mais, e mais, meu corpo faz um giro, ouço um barulho de galho se partindo, sou lançada no chão. A dor é uma nota aguda e barulhenta, mas pior é olhar para o braço e vê-lo pendurado, balançando. Grito, grito o mais alto que consigo, e me abandono no chão. Formiguinhas carregam folhinhas, o pequenino exército vai deixando seu castelinho formigueiro, e vem vindo em minha direção, elas formam um círculo em volta de mim, estão me protegendo, elas também são fióte de xibum, envolvem meu braço com folhas, dizem no meu ouvido, várias vozinhas, uma em cima da outra, vai sarar, o dodói vai sarar. Raquel está aqui. Antônio, um gigante, as formiguinhas tão pequenas, ela caiu da árvore, falei pra não subir, sou suspensa de uma vez, cê é teimosa demais, porque cê não fica direitinho que nem mocinha, tem que fazer bagunça que nem um muleque, dá nisso.

Quero fugir de casa.

Só consigo aos doze anos. Estamos todos sentados na sala de jantar, com exceção de Raquel, que termina de preparar qualquer coisa na cozinha. Leio uma revista e batuco distraidamente com os dedos no tampo da mesa, quando minha mãe grita de onde está, pedindo que pare com o barulho. Não atendo à sua ordem. Antes que me dê conta, o cotovelo de Antônio – que é então um homem musculoso de vinte anos de idade – atinge com força a minha boca, minha cabeça ricocheteia e sinto escorrer do lábio um filete grosso de sangue. Raquel vira-se, em câmera lenta, para verificar o que houve e, sem nada dizer, volta aos seus afazeres. O pai, depois de alguns segundos de hesitação, em que ele e meus outros irmãos pairam imóveis, em suspensão, observando o desenrolar da cena, entende que lhe caberia dizer algumas palavras, já que minha mãe permanece em silêncio. Não está acostumado a tomar decisões que nos digam respeito, e por isso se limita a pedir que Antônio tenha mais cuidado, completando a frase com algo como "esse menino é um cavalo". Eu, com os olhos cheios de água depois da pancada que atingiu também o nariz, sinto o gosto de ferro morno na língua, e não pisco para não entregar a meu irmão uma só lágrima.

Sabia que havia chegado a um limite, embora fosse muito nova para dar ao nó de sentimentos e acontecimentos, misturados demais à vida daquele núcleo familiar, uma forma inteligível. Não sabia pôr numa linearidade os fatos que me levavam àquele corte, e muito menos compreender suas razões. Não sabia nomear a fronteira sobre a qual estava erguida, embora sem sombra de dúvidas a tivesse alcançado. E tudo que se passou em seguida, até chegar aos braços de Dona Janaína, é um borrão em minha memória. Fui me movendo com a força de um impulso. Arrumei uma mala com o que conseguia carregar, e parti.

No olho do furacão, em contato direto com a haste afiada da minha história, olhando as fotografias, e diante do que parece se repetir, de novo e mais uma vez, sinto o estômago embrulhar. Nem a erva cidreira é capaz de curar minha indigestão. O nó na garganta ameaça me degolar. Sem pensar muito, disco o número de Arthur.

...

Ouço, do outro lado da linha, a voz confusa de quem acaba de ser acordado. Me cumprimenta secamente, mas sem nenhum resquício de irritação. Pergunta se estou bem, e parece mesmo querer saber – o que é característico dele; quando pergunta "tudo bem?", faz uma pausa e assume a postura corporal de quem se prontifica a acolher. Consigo perceber o movimento na voz. Arthur.

O interesse tão simples e genuíno por saber como estou soa como uma noite de Lua cheia, uma taça de vinho e "Prélude nº 1", de Heitor Villa-Lobos, tocando numa caixinha de som na sala. E ele. Ele, de cabelo molhado, sem camisa, enrolando um cigarro: colocando o fumo com cuidado, posicionando o filtro, girando a seda entre os polegares e indicadores, lambendo a borda do papel.

Ouço um rugido. Rompe-se a barragem das palavras, por tanto tempo represadas, concentradas, criando cada vez mais tensão na parede de concreto que tem a função de contê-las. Palavras que, depois do estrondo, vazam em discurso contínuo, atropelado. Parece que estou sonhando.

"Falo com você da Vila onde nasci, na Bahia. Depois de doze anos, a vida me mandou voltar para me despedir de minha avó." E ele, que tanto me ouviu contar as histórias mágicas da Dona Janaína, pergunta como estou enfrentando esse momento. Respondo, com toda honestidade, com a verdade que lhe neguei durante anos, que são dias terríveis. Não só pela perda, mas por vivê-la em meio ao reencontro com a menina de treze anos que abandonei. "Sua filha? Você deixou uma filha na Bahia?" Sim, minha filha.

Com o ouvido no telefone, escuto sua respiração, e durante algum tempo, pausas e grunhidos de quem pretende iniciar uma frase, mas recua. "Você tem uma filha. Uma adolescente. Nossa... Por que você não me contou, Dora?" Não sei. "Queria tanto que você tivesse me falado. Tanta coisa faz sentido agora..."

"Mas não é só isso. Fiz um aborto de um filho seu. Uns dias atrás."

Dessa vez o silêncio é mais prolongado.

"O quê? Um aborto..." Percebo que ele está chorando. Eu não sirvo pra ser mãe, Arthur, você não entende.

Sofia Aroeira

Eu ia destruir tudo. Ia ser pior, muito pior pra nós três, acredita em mim. "Você não vai falar nada? Hein, Dora? Sua covarde filha da puta. Então tá!"

É quase uma e meia da manhã, preciso urgentemente de uma bebida. Faço um cálculo rápido do risco-benefício de sair sozinha e ir até um dos bares do povoado, onde os bêbados conhecidos já estarão com os olhos caídos, brigando com Jorge, o dono do boteco, e ficarão encarando a minha bunda, para, no dia seguinte, dar notícia a toda comunidade de que a filha de Raquel comprou cerveja em plena madrugada, "dizem que ela tem problemas com álcool, na verdade com drogas pesadas também, é viciada, foi por isso que sumiu, passou mais de dez anos internada, você não sabia? Coitada da família, que desgosto". Enfio algum dinheiro no bolso do short e saio.

Ando devagar, aproveito a brisa da madrugada, um dos únicos momentos em que o calor dá trégua. A escuridão quase completa dos postes espaçados de luz amarela muito fraca, alguns deles com as lâmpadas queimadas, me acoberta, prolonga-se de dentro de mim. Ouço o grito das cigarras, borboletas esturricadas debatem-se no chão, tornam-se cinzas, tempestade de poeira. A vida está repleta de mortes. Antes de dobrar à esquerda para pegar a rua principal, passo por um pedaço sem construções, onde as árvores altas e arbustos se deixam entrever sob os raios lunares. Passos sobre folhas secas. Deixo chegar. Em meio à vegetação, a silhueta de um animal cujos olhos cintilam como anéis prateados refletindo a luz da Lua. A onça negra abaixa o tronco, em posição de ataque. Meus músculos, ossos, sistema nervoso autônomo respondem. Me aproximo, dando sinal de meus passos sobre a vegetação. Encaro a fera, tensiono a musculatura, estalo as pupilas, preparo unhas e dentes. Ela rosna, me mostrando as presas. A noite na íris da onça. A escuridão é minha. Ela foge pra dentro da mata.

Compro três cervejas, indiferente às expressões predatórias dos velhos bêbados. E no caminho de volta, livre das feras, o silêncio só é rompido pelo tintilar das garrafas dentro da sacola. Ao chegar, escrevo um bilhete; peço para não ser acordada porque passei mal durante a noite, "assim que levantar vou andando para a cabana de Vóinha". Prendo-o na geladeira com o ímã de uma das bonequinhas de plástico com vestidinho de crochê que Dona Janaína cerzia, para dar de lembrança em chás de panela, chás de bebê, aniversários e casamentos. Entro no quarto e quando esvazio a última garrafa a casa já desperta. Me deito com os fones de ouvido, e enquanto ouço "Na Hora do Almoço", de Belchior, penso na relação contraditória que estabeleci com a solidão nesses últimos anos. Convivi com ela em desamparo, mas também se fez refúgio, talvez o maior de todos. Encontrei liberdade, a possibilidade de ser qualquer coisa, na crueza do estranho e do instintivo, na vigência da vontade. Nela, o tempo era saboreado amargo e sem pressa. Denso e espesso. Intenso.

Meu casulo. Sim, meu casulo.

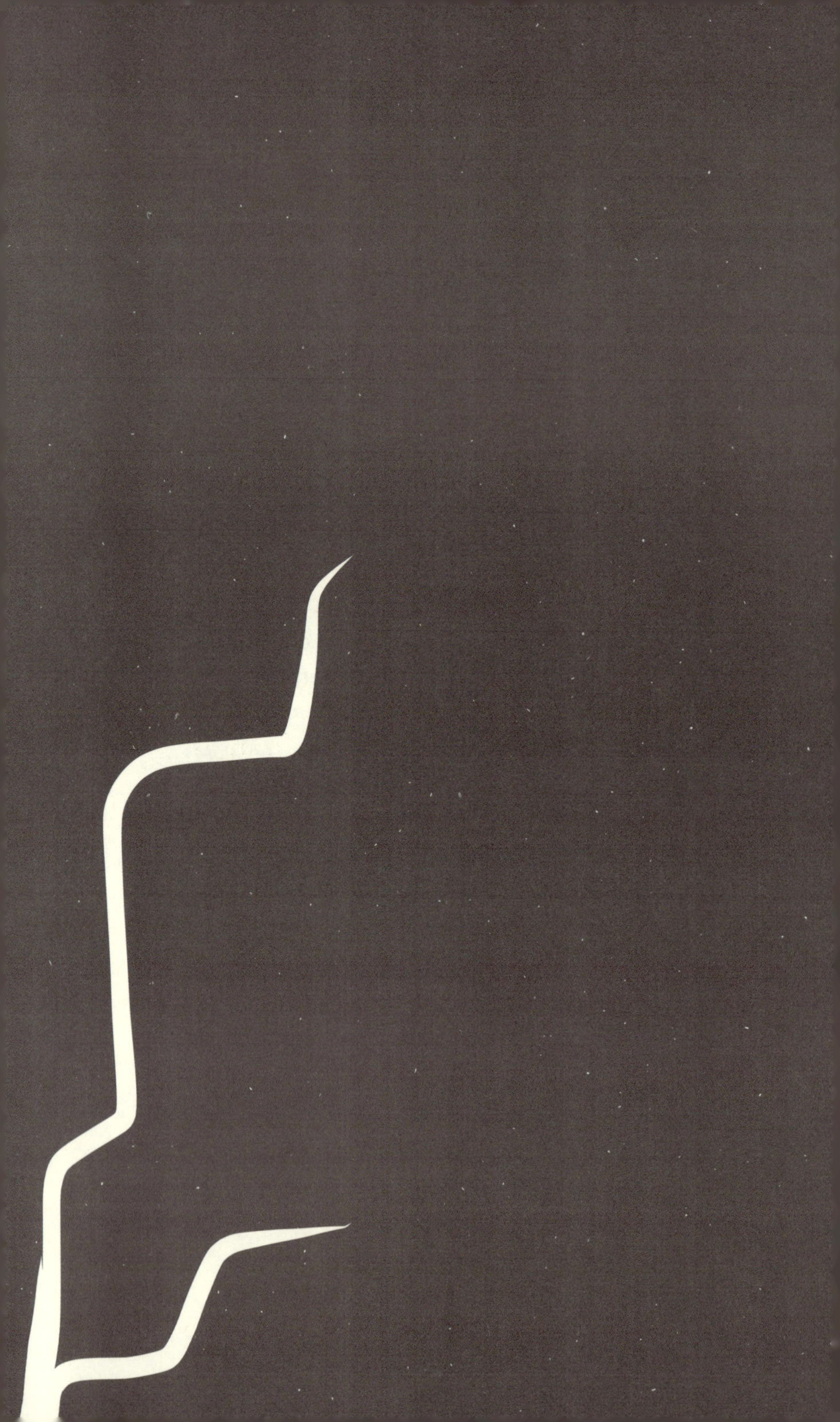

12
Águas

Acordei assustada com um cutucão e, quando abri os olhos, me deparei com o rosto de Raquel, imenso, muito próximo; suas tranças tombando sobre mim. Tinha um cheiro de coisa guardada, alguma coisa entre flores secas e naftalina. "Levante, sua avó está mal", disse e saiu, fechando a porta atrás de si. Em minha família más notícias eram dadas assim, sem preâmbulos, sem qualquer ruga na face que prenunciasse desgraça, sem meias palavras, sem a nuvem negra que costuma pairar sobre as cabeças e nos faz adivinhar que, subitamente, o desastre nos atravessou o caminho.

Apesar da necessidade de pressa, meu corpo parecia pesado, e respondia com lentidão aos comandos de levantar e me trocar. Ia me vestindo vagarosamente, pensando em todas as possibilidades que poderiam conter aquelas duas palavras "está mal".

Fora da casa, Painho já nos esperava dentro do caminhão. Entramos em silêncio e assim permanecemos ao longo de todo o curto trajeto, no qual um calor intenso fazia brotarem múltiplas gotículas de suor sobre a pele. Com o braço pendurado para fora da janela, eu tateava as ondulações da brisa quente que se formava com o nosso movimento.

Assim que o caminhão estacionou, desci apressada e entrei na cabana. As várias senhoras se amontoavam entre a pequena sala e o quarto de Janaína. Mal reconheci minha avó, deitada sobre a cama. Estava muito inchada, o corpo parecia inflado, a pele tinha sido esticada, adquirindo brilho e certa transparência. As pálpebras túrgidas estavam cerradas, e sua respiração lembrava o ronronar de um gato. Era como se Janaína tivesse engolido um pedaço do mar que tanto amou.

Novamente ergui a velha, ciente de que dessa vez nossos métodos caseiros não seriam suficientes. Sabia que seu coração estava muito fraco e o líquido que vazava do sangue encharcava seus pulmões. Tomei uma decisão da qual não estava totalmente segura: decidi medicá-la com um diurético, como tinha feito tantas vezes em casos parecidos sob ordens médicas. Corri até a farmácia e comprei uma caixa de furosemida, dei a medicação, dois comprimidos de uma vez, e orientei que esperássemos do lado de fora, nos alternando para que ficasse somente uma pessoa por vez no quarto – imaginei que a aglomeração pudesse aprofundar a sensação de sufocamento, embora não estivesse certa do quão consciente ela estava.

Gameleira-branca

Me dirigi à gameleira, procurando estar só por alguns minutos, me abriguei em sua sombra, acendi um cigarro. Amélia não estava, já deveria ter ido para a escola. Tive uma sensação estranha, um misto de dor e formigamento sob o esterno, agravados por salvas de palpitações, que iam e vinham. Provavelmente experiências como essa foram responsáveis pela consagração da ideia de que no coração estão guardados os sentimentos. Dizem que algumas culturas indígenas ancestrais acreditavam que o ato de comer o coração de um inimigo admirado resultava na incorporação de suas boas características. Para outras tribos, como os Waris de Rondônia – me contou Zuleica, uma antiga raizeira, que durante três semanas me ensinou algumas propriedades das plantas medicinais – pelo contrário, o ato de comer a carne dos mortos de sua própria tribo era um modo de desumanizá-los, apartá-los dos vivos, e por fim, esquecê-los. Um membro da aldeia morto, depois de ser pranteado durante dias por seus familiares – que com grande sofrimento o velavam, agarrando-se ao corpo – era cortado em pedaços, e tinha seus ossos quebrados. Fígado e coração eram assados embrulhados em folhas, estirados numa esteira, e comidos pela tribo com pão de milho. Depois, os ossos eram moídos, o restante do corpo cremado, e suas cinzas comidas com mel. Por fim, seguia-se um longo processo de luto, no qual a família se desfazia de todos os pertences do falecido, até esquecer seu nome.

Anatomicamente, a associação entre coração e sentimento não parece óbvia. Imagino as palavras na boca do

Professor Oliveira, com óculos fundo de garrafa e jaleco de mangas curtas sujo de giz: "trata-se de uma bomba automática, propulsora de sangue, e nada mais. Talvez a vinculação resida no fato de que o coração, embora não dependa de nossos pensamentos, paixões e fantasias para bater, certamente responde a eles". E quando felicidade, vergonha ou medo aceleram seus batimentos, é inevitável a percepção do incessante ritmo, dessa singular partitura, que como um metrônomo, ou um estalar de dedos compassado, dita a cadência de nossos passos. Só então nos damos conta: ali está a máquina geradora do movimento. Se falha, os líquidos, já sem a força que inspira suas correntezas, se derramam e ensopam os tecidos, que vão sendo transformados em territórios lodosos, cheios de musgo. Imagino Dona Janaína naufragando nesses pântanos.

Trinta minutos após a administração das medicações, Vóinha começa a urinar, e pouco depois começamos a notar melhora do inchaço e da respiração. As mulheres me parabenizam, comentam que sou uma boa enfermeira, elogio que sempre recebo com muitas reticências.

Não digo que não goste da minha profissão. Na verdade, não sei se gosto ou desgosto. Mas envelheço rápido. É difícil explicar, a maioria das pessoas não se lembra da carne, das vísceras, do sangue. A maioria das pessoas não se lembra que vai morrer. Não "se", quando. Para mim, os sinos dobram todos os dias. São fendas que nunca se fecham; de repente, fumo um cigarro na varanda, e alguma coisa move as engrenagens da memória. Verte de dentro a cor vermelha. Não é, Seu Joaquim?

Gameleira-branca

Quando o conheci, percebi que era um daqueles pacientes que fazem a equipe ter pena. Recebia regalias, como um quarto só seu ou alguns doces e salgados contrabandeados para dentro do hospital – que ninguém sabia quem levava e aos quais todos fazíamos vista grossa. Passando por ali, eu nunca deixava de reparar: o profissional que fechava a porta atrás de si, parava um segundo no corredor para tomar ar, com cara de quem pensa "que bom que é ele, e não eu". Era fácil encontrar seu leito, bastava seguir o cheiro. Câncer de boca. Um especialmente feio.

Ele sempre ficava na mesma posição, muito magro, o nariz afilado, o lábio inferior tomado pela grande massa, os olhos secos, a mão apoiada na barriga, olhando o estacionamento pela janela, gemendo baixinho. Nenhum acompanhante. Um dia, procurei o prontuário, anotei o telefone da família, e liguei do meu celular. "Das Dores, né? Olha, eu agradeço muito sua preocupação com meu pai. Bom saber que tem gente interessada. Mas é ele que não deixa a gente visitar. Da última vez que tentamos, jogou um monte de coisa na gente, berrando que nem um doido. Não sei o que aconteceu, ele não era assim..."

Depois do plantão Arthur me apresentaria seus amigos, eu ia só dar um pulo em casa para tomar o banho e os encontraria no bar. Tomara que esse seja tranquilo. Cheguei há pouco, ainda estou me arrumando quando vejo pessoas de branco correndo. Uma enfermeira bate a mão na porta do vestiário "Seu Joaquim, Dora". Termino de amarrar o tênis e corro também. Noto de relance uma colega vomitando no corredor. Adentro o quarto e demoro a compreender o que está acontecendo. A cor vermelha flui por entre os dedos dos enfermeiros, que comprimem com gazes escarlates a boca de Joaquim. Há uma poça no chão. Eu nunca tinha visto tanto sangue. Assumo o comando das medicações. "Dora, ringer, aberto, duas ampolas de transamin", uma colega coleta exames "vai correndo lá no laboratório, fala que é pra rodar a tipagem imediatamente. Protocolo de transfusão maciça. Não volta aqui sem as bolsas de sangue, faz o que for." Ela quase escorrega na saída, deixa marcas vermelhas pelo chão.

Não dá tempo. Iniciamos a ressuscitação cardiopulmonar para poder dizer a família que fizemos tudo que podíamos, mas ele está totalmente pálido. Morreu exsanguinado.

"Ih, a Dora tá longe!", "O quê?", o bar tem uma iluminação bonita, luzinhas amarelas penduradas nas árvores, só agora reparei, "a gente tá discutindo aqui se queremos ser aqueles velhinhos que surfam e fazem ioga, ou se queremos continuar bebuns, fumando igual umas caiporas, e morrer que nem o Vinícius de Moraes, tomando um uísque na banheira".

"Aham."

13
Sanfona sentida

Chora sanfona
Sentida em meu peito, gemendo
Vai machucando
E meu peito de amor vai morrendo
Quanto mais choras
Me entrego todinho ao amor
E teu gemido disfarça em minha alma
Essa dor.

Sanfona sentida • Luiz Gonzaga

Mesmo com uma significativa melhora de Dona Janaína, as tias se mantinham apreensivas, por isso Raquel decidiu fazer ali mesmo o jantar. No meio da tarde tia Esmeralda foi à venda buscar um badejo, e quando a luz do dia começou a tornar-se mais alaranjada as mulheres foram picar as cebolas e separar os temperos e as panelas.

Me deixei estar sentada ali perto do fogão à lenha, saboreando os vapores da fritura da cebola na manteiga de nata, na expectativa do peixe cujos pedaços já esperavam empilhados num prato sobre a mesa. Tinha certeza, nunca mais uma moqueca teria aquele gosto, o sabor daquele tempo, daquela terra. E eu seguiria sendo assaltada, de repente, no metrô, ou parada na varanda do meu apartamento, pelo cheiro que salivaria a boca de saudade, e traria imediatamente a sensação de estar ali, apoiando o cotovelo sobre a mesa de pedra de minha infância, enquanto minha mãe cozinhava.

Pouco depois das dezoito horas, Amélia entrou correndo, sacudindo um pedaço de papel nas mãos. Disse que Raquel já estava atrasada para a reunião de pais agendada para aquela noite na escola. Minha mãe se virou, e sem largar a colher de pau, respondeu que havia se esquecido, mas agora não tinha como deixar as panelas no fogo e sair.

Diante da expressão decepcionada de Amélia, não me contive, me ofereci para participar. Raquel me lançou um olhar desconfiado, e, para minha surpresa, voltando-se novamente para o fogão, disse que achava uma boa ideia. A menina ponderou por um momento, e depois, erguendo os ombros, soltou com má vontade que "tudo bem, tanto faz".

Peguei minha bolsa na sala e pedi uma carona para Painho para economizar tempo. Estacionou diante de uma fachada de muro pichado, com um portão empenado que o velho zelador custou a abrir para que eu pudesse passar. A escola me pareceu ainda mais deteriorada do que me lembrava, com paredes encardidas, portas, janelas, mesas e cadeiras quebradas por toda parte. Ao longo do corredor, alguns pais conversavam entre si, e no fundo dele, uma moça que deveria ter no máximo minha idade, de cabelo anelado, com grandes óculos e uma expressão simpática, cumprimentava as mães que chegavam. Apertei sua mão, e ela pareceu intrigada ao me ver, embora não tenha deixado de sorrir, dizendo "seja bem-vinda". Entrei no cômodo e me sentei em uma das cadeiras dispostas em roda.

Ela distribuiu para cada um de nós duas folhas grampeadas, xerox de má qualidade. Se apresentou, era Mônica, a professora de História da turma. Trabalhavam História do Brasil, mais especificamente o período colonial. Como sabíamos, a Bahia era um Estado muito importante para o estudo daquela época, pois os portugueses chegaram por Porto Seguro e Salvador foi a primeira capital do Brasil. Os garotos se interessaram muito pelas diferentes atividades que ela propôs, ilustrando os conhecimentos com colagens, desenhos e filmes. Mas achava que seria mais produtivo levá-los para verem os cenários, desdobramentos e evidências desses acontecimentos com os próprios olhos. Isso certamente faria com que essa história perdesse em abstração e ganhasse em concretude, algo muito útil ao seu aprendizado. E por isso, com a autorização da escola, pensou em algumas viagens. A primeira estava detalhada no material em nossas mãos.

Sofia Aroeira

Uma viagem para Porto Seguro. Mônica conseguira um patrocínio para os gastos com ônibus; os pais arcariam somente com o suficiente para garantir a alimentação dos adolescentes e as entradas dos museus. A viagem aconteceria no mês seguinte. Sairiam de manhãzinha e voltariam ainda na mesma noite.

Me pareceu uma boa ideia, me senti feliz que Amélia tivesse uma professora tão dedicada. Os outros pais, quase todos na faixa dos quarenta anos, também pareciam, com uma ou outra exceção emburrada, entusiasmados com a proposta. Depois de responder a algumas dúvidas, a professora encerrou a reunião; quem aceitasse a ida dos estudantes, assinaria um documento e enviaria o valor até a semana seguinte.

Me levantava para sair quando um desenho na parede me chamou atenção. Uma imagem a lápis da Igreja de Nossa Senhora do Rosário dos Pretos, em Salvador, cheia de detalhes e muito bem sombreada. Reconhecia-a porque estive ali na infância; Raquel nos levou para assistir à missa. O atabaque, o cheiro da defumação, os santos de rosto preto e as cores vivas a enfeitar os altares muito me marcaram. Me lembro de ser surpreendida por um sentimento acolhedor e pensar que, estranhamente, era uma igreja, mas lembrava o terreiro. Essas impressões fizeram com que, anos depois, pesquisasse sobre aquele templo católico tão incomum. Fora construído lentamente, ainda no final do século dezessete, por negros escravizados ou alforriados, que dedicaram à obra seu tempo livre. Pois ali estava retratado o incrível prédio, em folha sulfite e traços costurados, que careciam de maturidade, mas nos quais se antevia habilidade e um olhar original. No rodapé da folha, a assinatura em letras de forma, muito simples e geométricas: Amélia.

"Ela é muito talentosa." Mônica se aproximou às minhas costas, já não restava mais ninguém na sala. "Se interessa muito por História, e tem esse dom artístico, que sempre nos surpreende. Só não é muito boa em matemática." E riu. Depois ficou séria e disse que precisava levar Amélia comigo. Que era boa demais para aquela vila, e que, como eu sabia, sempre repetia que queria cursar Artes Visuais, oportunidade que não teria ali. Fiquei desconcertada, respondi que pensaria sobre o assunto e me despedi rapidamente, saindo apressada.

No pátio, parei. Foi como se uma velha música de Luiz Gonzaga soasse em meus ouvidos, na voz um tanto anasalada de um antigo conhecido, que nunca mais vira, acompanhada pelos acordes de uma sanfona mal tocada, seguindo o compasso de um triângulo.

Tenho de novo dezessete anos, recém-completados. Com a sandália de sola de pneu e couro trançado, que adoro, risco com passos tímidos a poeira do chão, sozinha em meu lugar, marcando o ritmo da música. Vez ou outra uma amiga da escola passa por mim, troca algumas palavras, me oferece uma colherada de seu sorvete de jenipapo e me deixa quando é tirada para dançar. Ninguém me convida. Não sei bem por que, ou talvez saiba. Destoo das outras garotas e de suas calças jeans. Tenho o topo do cabelo trançado com fitas coloridas pelas mãos de Dona Janaína, e uso um vestido de chita que minha avó costurou para mim, com elástico na cintura e nos ombros, que ficam à mostra.

Saí de casa me achando a menina mais bonita do povoado, convicção que era gravemente abalada pela rejeição dos garotos. Ainda assim, as cores das bandeirinhas penduradas, os estandartes estampados com a imagem da santa padroeira, os cheiros da moqueca, da casquinha de siri, do pastel, do arroz-doce, a banda de ex-alunos da escola que embala alegremente o pessoal num forró pé de serra que levanta poeira, tudo isso deixa meus olhos brilhando e minhas bochechas afogueadas.

É a festa de Nossa Senhora da Aparecida, Oxum no sincretismo religioso, de modo que Raquel participa da novena e Dona Janaína organiza os rituais de homenagem à Orixá. E eu tenho privacidade para aceitar, ali no pátio da escola, a proposta que subitamente me é feita. O garoto por quem estou apaixonada me chama para dançar.

É um pouco mais velho, já terminou o colegial. Tenho por ele a maior das admirações, porque conseguiu partir, se mudou há alguns meses para a capital. Ali está, com as mãos nos bolsos da jaqueta jeans, muito magro e alto, o cabelo enrolado um pouco mais comprido do que era o costume do povoado então.

Me aperta junto de si, com uma mão em minha cintura, e, desliza os dedos pela minha nuca, diz que sou muito mais bonita e interessante do que as outras meninas, que sempre esteve de olho em mim. Ficamos grudados assim ao longo de várias músicas, eu embriagada pelo seu cheiro de colônia barata, me sentindo tão sortuda que é quase impossível acreditar. Rodopio e sussurro o que quero dizer só para ele – havia tanto a compartilhar depois de superado o tempo da paixão platônica... Agora ele é sólido sob o meu abraço, posso sentir os músculos de suas costas, a proeminência de suas vértebras, o suor que umedece a raiz dos cabelos. Cola o nariz no meu, e sinto um calor e um formigamento entre os seios, e na região do púbis. Já não penso nas pessoas que nos rodeiam. Seguro sua mão e vou com ele até os fundos do colégio.

Acompanho os dois adolescentes até os escombros do que, mais de uma década antes, era um tanque de pedra. Vejo quando eles finalmente se beijam, noto suas mãos trêmulas, a urgência de viver toda a intensidade daquele momento que, os dois sabem, será único e finito, não tem perspectiva de se repetir. Logo ele partirá novamente, e por isso eles sussurram promessas de amor, e apertam-se entre suspiros.

Vejo quando ele insinua os dedos por debaixo do vestido; quando ela permite, surpreendida pelo prazer que aquilo lhe causa. Quando ele a ergue e apoia no tanque, afasta suas coxas. Ela está, pela primeira vez, plenamente unida a um homem, gemendo de dor, de medo e de alegria.

Assim minha filha foi gerada. Num momento de amor e de êxtase. Nasceu da oração mais profunda do corpo, da primeira entrega, corajosa e sincera, da descoberta e da transgressão pela qual a vida me faria pagar.

Foi um momento bonito. Imagino que ele tenha tido notícias, algum tempo depois, de que estava grávida. Não me procurou, e eu decidi aceitar, silenciosamente, o seu abandono. Mas, mesmo conhecendo tudo que se desdobrou a partir dali, me lembro dele com carinho. Nunca mais quero vê-lo... Mas me lembro dele com carinho.

14
Partida

Entrei na sala de jantar segurando as cópias que me foram entregues na escola, e encontrei Amélia sentada à mesa com fones de ouvido, segurando o mp4 que derrubou no chão no dia anterior. Aparentemente, meu presente não foi tão equivocado quanto pareceu. Assim que me viu, lançou um olhar de súplica e expectativa, e se retirou, me deixando a sós com Raquel.

Pedir qualquer coisa para minha mãe constava entre os esforços mais desafiadores, e quiçá mais infrutíferos, de modo que agora eu encarava o balançar de seu quadril coberto por um vestido florido diante da pia da cozinha, e pensava na tarefa desagradável da qual fui incumbida pelos olhos de minha filha.

Melhor falar de uma vez. "Raquel, a professora de História nos chamou pra falar sobre uma viagem de campo que eles querem fazer com os alunos, pra Porto Seguro."

Comecei a explicar, tentando transmitir o tom persuasivo das palavras de Mônica, a importância daquele passeio para o desenvolvimento acadêmico da garota, mas, mal iniciei o discurso, ela me interrompeu dizendo "Amélia não vai." "Por quê?" "Não temos dinheiro." "Eu pago, mãe." "Vai deixar a menina mal-acostumada, já disse que não." E ponto. Emudeci como se me tivessem costurado os lábios com náilon.

Me retirei para o quarto e senti uma vontade fulminante de ir embora, de voltar para São Paulo. Deitada na antiga cama, respirava com os olhos cerrados, enquanto o cômodo se fechava sobre mim. Aquela gente era especialista em podar mudas de esperança pela raiz, para não deixar nem lembrança da árvore prometida na semente. Aquela velha infeliz era a senhora das proibições sem razão. Só porque não teve oportunidades queria que todos fôssemos pelo mesmo caminho? Em breve eu partiria dali para nunca mais voltar. Mas, e Amélia?

Ouvi uma batida suave na porta. Abri, e ela entrou afobada com um papel nas mãos. Me encarou e, de algum modo, transmitia na expressão do rosto, simultaneamente, algum desdém e um pedido de ajuda. Agora que a via assim, ereta, determinada, achei que era uma garota bonita, apesar da magreza e do cabelo sem corte. "Você pode assinar a autorização pra ir na viagem?" Respondi que sentia muito, que entendia a importância da excursão, que acreditava sinceramente que seria ótimo que ela fosse, mas não podia desautorizar sua avó dessa maneira. O que ela respondeu tenho certeza de reproduzir de memória sem alterar uma só palavra: "Na minha certidão de nascimento tá escrito que você é minha mãe. Pelo visto, isso não serve pra nada".

Me olhou de cima para baixo, sustentando uma firmeza impassível, e como se feita de brita, virou as costas e saiu calmamente. Ainda hoje não sou capaz de formular uma resposta decente para a frase. Sei também que minha decisão não poderia ser diferente. Por pior que fosse a ordem de Raquel, ela fora efetivamente a mãe de Amélia por todos esses anos, e tê-la gerado, gestado e parido, estar ali há cinco dias, infelizmente não alterava esse fato. Não me sentia no direito de, depois de um abandono tão grave e extenso, retomar assim subitamente o lugar de mãe.

A escolha de palavras de Amélia dizia muito a seu respeito, e também à nossa família, aos pais que, lamentavelmente, compartilhávamos. Colocava essa ausência em termos de utilidade, do que serve ou não serve para qualquer coisa. Ser minha filha não servia para nada. Era verdade. Ainda assim, a frase dava a sensação de total pragmatismo. Traduzia questões sensíveis e complexas em blocos disformes de concreto.

Mas, será que eu era a única culpada por essa ferida funda que ela exibia com a secura e a brutalidade conhecidas? Fechava os olhos e tentava enumerar a sucessão dos fatos que culminaram nesse resultado, e eles me pareciam peças de um dominó a cair, o seu movimento lento contra a resistência do ar, o modo como vacilavam e pendulavam um segundo antes de tudo ruir, indecisos entre o equilíbrio e a catástrofe, e então um erro se desdobra no próximo, até que se chegue ao momento da minha partida, doze anos antes.

Sofia Aroeira

À medida que assisto à queda das peças, de novo e de novo, e elas nunca param de cair, incontáveis vezes me pergunto no espelho, com os olhos cruéis dos juízes postados em cada esquina: que tipo de mãe abandona sua filha? Por maior que seja sua dor ou insuficiência. Por maior que seja sua imaturidade. Que tipo de mulher deixa para trás uma criança indefesa, como vi Amélia, enquanto dormia no berço de segunda mão, ao me despedir?

Passei por aquele dia mergulhada em torpor. Informara Raquel sobre minha partida cerca de duas semanas antes, e ela automaticamente supôs que levaria Amélia comigo. Não consegui corrigi-la, deixei que acreditasse que seria assim.

Um dia antes da data combinada para minha viagem todas as malas já estão feitas. Amélia tem pouco mais de um ano. É uma bebê magricela e barriguda, morena, com fartos cabelos negros, que há pouco começaram a cair. Come de tudo, e é muito bem alimentada com uma diversidade de frutas e vegetais que Painho passou a garantir com muito custo nos últimos seis meses. Mas ainda mama no peito. Se eu me nego a dá-lo, faz birra, se joga no chão, sapateia. Sempre acabo cedendo, com minhas olheiras quilométricas, exausta demais para brigar. Nesses momentos fantasio e temo que o rancor que me invade possa envenenar o leite. Mesmo nos instantes de ternura, enquanto ela suspira pelo nariz com a mãozinha apoiada no meu seio, me sinto repartida entre uma pena infinita, uma sensação de estar enjaulada, e um amor pungente que atravessa meu coração quando cheiro o topo de sua cabeça.

Hoje está manhosa, mais de uma vez pede o peito, chora muito. Já é fim de tarde quando, depois de lutar com ela por mais de duas horas, adormece em meus braços, com meu mamilo esquerdo ainda encostado nos lábios. Coloco a menina no berço e caminho aflita pela casa vazia. Raquel não está, pode ter ido à igreja, ao mercado, ou à casa de alguma comadre. Volto para o quarto e a observo. Usa só um macacãozinho de manga curta, e empapa o travesseiro com suor. Respira fundo, fazendo subir e descer a barriguinha pontuda.

Tenho vontade de sacudi-la, assustá-la de propósito e deixá-la chorando sozinha, presa entre as grades de madeira, enquanto a observo de longe, com o meio sorriso de quem retruca uma crueldade. Começo a chorar, e o choro se transforma no sentimento na ponta oposta daquele primeiro, sinto que o máximo de proximidade que tenha com ela – como quando a aperto junto ao meu tórax e ela é alimentada pelo leite do meu peito – jamais será suficiente. Quero reincorporá-la a mim, quero que volte para dentro do meu útero.

Não consigo mais. Enfio o que faltava nas malas, suspendo-as do chão com dificuldade, e saio. Minha mãe, tenho certeza, voltará logo, talvez antes que Amélia acorde.

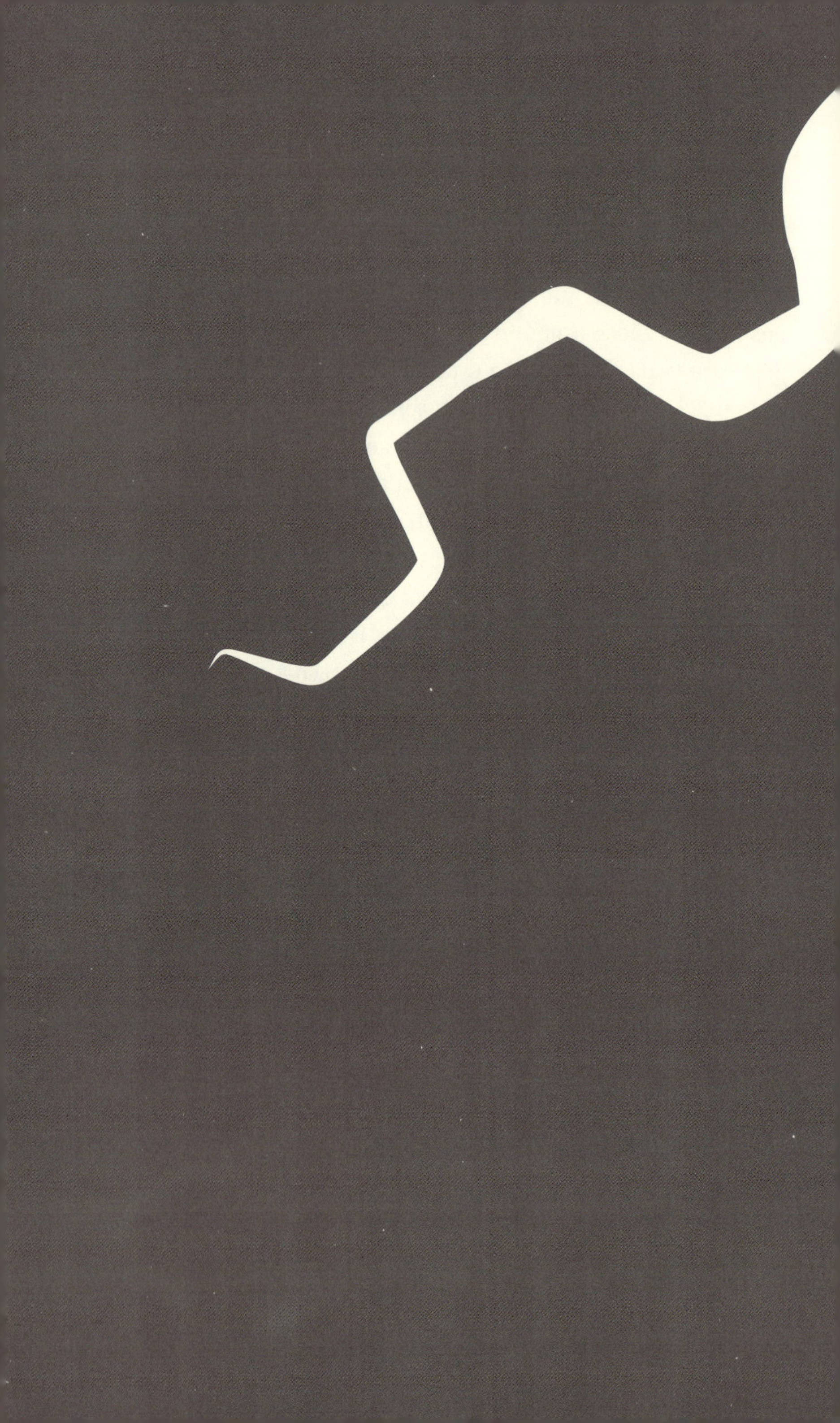

Tempo

Vele, vele quem pese dos pés a caveira
Dali da beira uma palavra cai no chão
Caixão, dessa maneira
Uma palavra de madeira em cada mão
Imbuia, Cerejeira

Bem leve • Marisa Monte

No dia seguinte acordei bem cedo para ir cuidar de Dona Janaína. Chegando à cabana, encontrei minha avó sentada na cadeira de balanço, parecendo muito melhor do que a vi em qualquer um dos dias desde o meu regresso. Sorria e fazia crochê, apoiando a linha na barriga, como de costume. Abracei seu pescoço e beijei sua testa, feliz por vê-la tão mais parecida com a Janaína de minhas lembranças. Ela disse que tinha dispensado as tias por hoje, e que tinha feito café. Me perguntou como eu estava, como era a vida em São Paulo... Comecei a narrar um pouco do meu trabalho como enfermeira, falei dos maus tratos de Madrinha até que conseguisse alugar meu próprio apartamento, falei de Arthur, e ela riu, dizendo que via na minha cara que eu gostava muito dele. Não mencionei o término ou o que se sucedeu depois, atitudes que certamente desaprovaria. Queria que, nesse dia, diante do pequeno milagre de sua recuperação, continuasse feliz. Quando terminamos a conversa, o Sol já estava alto no céu, devia ser mais de nove horas.

Pede que a ajude a ir até a horta, quer mexer nas plantas. "Vovó, não é muito esforço?", "Que nada, você que vai fazer tudo, vou te ensinando. Leve uma cadeira pra mim." Suas plantas claramente sentiram sua ausência. O manjericão morreu sem seus cuidados, a hortelã, o boldo e o coentro dão seus últimos suspiros, estão murchos e ressecados, somente a erva-cidreira, o alecrim e o tomilho resistem bravamente contra todas as probabilidades. Me orienta a pegar os utensílios de jardinagem, e de sua cadeira me dá ordens. "Primeiro você vai arrancar as erva daninha e as planta morta, usa a enxada para tirar as raízes." Nesse trabalho me empapo de suor, ganho uma dor lombar que me acompanhará pelos próximos dias, e vai--se o restante da manhã. Quando termino, peço a Dona Janaína para fazermos uma pausa para o almoço.

Do mesmo modo como me orientou no cuidado com as plantas, agora comanda a cozinha; me ajuda a fazer um macarrão com molho de extrato e franguinho com açafrão. Comemos enquanto minha avó me atualiza das fofocas do povoado. "Joanita, filha da Januária, cê lembra dela? Aquela que vivia de barriga de fora e uma boneca debaixo do braço. Emprenhou do Freitinhas. Aí dizem que Seu Gumercindo foi lá no armazém com espingarda e tudo e falou que se num tivesse casamento ia matar o tal era ali mesmo. Oxe, mas num é que o Freitas pegou o muleque pela orelha e falou: precisa não, cumpadre, que se ele não casar eu mesmo mato. Agora eles mora numa casinha nos fundos lá do comércio, o minino deles é catarrentinho que só, corre pra lá e pra cá, e o vô nem parece que é daquela brabeza toda, deixa fazer o que quer, o bichinho já tá gordo de tanta bala que come. E cê lembra do Jairzão? Morreu. Enterraram num caixão fechado e falaram que foi ataque cardíaco. Mas a Maricotinha jura de pé junto que foi Dona Filó que colocou estricnina no feijão depois que descobriu que era chifruda, e que o falecido tinha quatro filhinhos lá no Goiás." Vovó diz que minha comida ficou ótima, mas a verdade é que, comparada à sua, está no mínimo decepcionante.

Acabamos de comer e nos dirigimos de volta ao quintal, ela anda devagar, apoiada em mim. Ao longo da tarde, me guia através da poda, adubação e rega insistente das plantas que restam. Quando termino, o dia já está quase no fim, Janaína faz uma prece por suas plantinhas e ordena que a deixe na cadeira de balanço, tomando mais uma brisa, enquanto limpo a bagunça de jardinagem. Depois, pede que a coloque na cama, está muito cansada e começa a ofegar.

Alojo-a sobre múltiplos travesseiros, para que fique com o tronco elevado, enquanto ela olha fundo nos meus olhos, me dando a sensação estranha de que enxerga através de mim. Me sento na beirada da cama. "A fé tem lhe faltado, Dora." Poucas palavras certeiras. "Por que a senhora diz isso, vovó?" "Oxe, você sabe, fia. É preciso ir além da morte, Dora. A vida é mais do que matéria, minha Fulô de Mandacaru."

De fato, algo em mim parece quebrado. Fé? "O que é Fé, Vóinha?" Eu perguntava de novo e de novo porque sabia que ela gostava de responder. Abraçava suas pernas, apoiava a cabeça em sua barriga e ela me fazia cafuné enquanto dizia "quando a gente vê sem ver, quando a gente sabe sem ter que aprender, quando a gente acredita". No que eu acredito? "Tudo sempre acaba, vovó. De repente. Queria conseguir pensar que nem a senhora, mas não dá. A vida é muito sofrimento pra acabar em nada." Acredito na falência do corpo, nos segundos que separam uma pessoa em movimento, ainda tecendo sua história, e o seu desabar para a imobilidade definitiva; no último batimento da máquina, na perda do calor e da cor, na instauração da rigidez. Acredito nos olhos da perda esperando no corredor. Palpo uma fratura, aqui, dentro. Choro.

Dançam, diante de mim, ressuscitados pela voz rouca e ofegante de Janaína, alguns dos meus pacientes queridos. Cenas que revivo ao som de um jazz triste, em cujo compasso, sozinha num vestido vermelho muito antiquado, com um sapato negro de salto fino e olhos de ressaca, baila também a Morte. Ela tem a minha cara.

Vejo Dora, a Enfermeira Experiente, caminhando pelo corredor do hospital com as mãos nos bolsos e a postura muito ereta, um balançar de cabelos cheio de confiança, encenando perfeitamente seu papel, até que um baque na porta de entrada faz com que se vire. Assisto, novamente, Maria entrando apressada no Pronto Socorro com Scarlet, a bebê de sete meses, nos braços. Vejo quando a expressão segura da enfermeira se desmancha, e seu rosto é tomado pelo horror ao constatar que a criança está totalmente azul.

Scarlet era frequentadora assídua do Pronto Socorro devido a uma cardiopatia congênita. A terceira filha de Maria, uma mãe de dezoito anos, muito pobre, analfabeta, que não conseguia compreender nenhuma das instruções médicas, especialmente as complicadas diluições das medicações de uso contínuo necessárias para administrar a dose exata a uma criança tão pequena.

O rosto de Dora trai sua firmeza, e deixa transparecer a fisgada que sente ao pressentir que para Scarlet já não haverá mais dias para crescer, engordar, mamar e chorar. Ela hesita por um instante, sentindo vontade de fugir, mas, pelo contrário, ignorando o que berram seus instintos, corre estendendo os braços, e entra na Sala Vermelha gritando para que chamem os médicos, enquanto coloca a bebê na maca, corta suas roupinhas e acopla os adesivos da monitorização. Vejo quando os olhinhos de Scarlet se fecham, quando é feita a sedação para entubar, quando seus batimentos se tornam mais e mais lentos no monitor, e a expressão estarrecida da enfermeira, quando Maria, que está tão exausta, que parece ter tão mais que dezoito anos, pede que a criança não seja ressuscitada. "Eu assino qualquer coisa, eu assino", grita, "eu carimbo meu dedo", grita.

"Vê, Dora, uma fulôzinha, assim que nem você. Dentro dela tem tudo o que é a vida. Vê como as pétalas estão, em círculo. A vida é círculo, fia. Cada coisa nesse mundo nasce para morrer, e morre para nascer. Gente volta a ser terra, a ser chuva, a ser mar. Gente volta a fazer parte do espírito alumioso de Deus."

Não quero perder Janaína, quero dizer-lhe que não estou preparada para viver num mundo em que ela não exista, suplicar-lhe que use toda a sua força mágica para sobreviver um pouco mais, que peça a intervenção de seus Orixás, de qualquer energia no universo que a conserve comigo, que me permita recuperar tantos anos perdidos. Mas fico calada, ouvindo.

"Cê lembra quando eu te dei as semente da Irôko?"

Eu tinha seis ou sete anos, vovó deixou alguns grãozinhos na minha mão. "Fulô, essas semente é da Irôko, nossa árvore sagrada, a gameleira-branca. Pra plantar, cê coloca as sementinha ali naquele buraquinho no limoeiro, e tem que regar com muita água. Daqui um tempo, ela vai agarrar o pé de limão e envolver ele até matar", "Ela vai matar o pé de limão?", "Vai. Ela precisa guardar a morte de outra árvore pra crescer."

Durante meses fui todos os dias à cabana regar minha gameleira. Não demorou muito para que as raízes despontassem e crescessem até alcançar o chão, enquanto o limoeiro sumia, devorado, pouco a pouco, pela nova árvore. Logo ela era mais alta do que eu. Irôko crescia comigo, mas era muito mais veloz, espichava como se tivesse comido fermento, erguia os braços para o céu, seus dedos se multiplicando em folhas. Eu corria para ela, envolvendo seu tronco mesmo depois de as mãos deixarem de se tocar do outro lado, e imaginava o fóssil do pé de limão em seu interior. Nós três, como camadas concêntricas. Quando tinha medo, a aspereza da madeira roçando meu peito, minha testa, me ancorava, talvez pelo prenúncio de Janaína de que ali eu estaria segura.

"Fia, cê viu que sua menina ama a gameleira?"

Assinto com a cabeça.

"Cê lembra o que a Irôko representa?"

"O Tempo?"

"O Tempo. Quanto maior é os galho no ar, maior é a raiz dentro do chão. O Tempo é assim, cresce para todos os lado... Quando eu sumir desse mundo, vou viver que nem o oco do pé de limão dentro de você. E assim cê vai saber que eu existi, e o meu tamanho exato. Amélia também tem uma parte sua dentro dela, porque se abrigou em você pra nascer. Essa marca fica, Fulô. Mesmo depois..." Aperto sua mão com força, querendo frear o que pressinto que se seguirá. "Dora, ouve. A gente precisa de coragem pra amar as pessoa. E o amor, fia, o amor é a gira do Tempo." Dona Janaína suspira fundo. "Mas agora é hora de se despedir de sua avó. Estava só lhe esperando, minha Fulô de Mandacaru." Começa a ronronar, ofegar, chacoalhar o peito. Eu sei o que é isso, um ritmo respiratório que chamamos de *gasping*.

O sol está pousado sobre Janaína. Uma brisa atravessa a janela, vejo pontinhos de poeira brilhantes girando sobre seu peito; e então, ele para de se mexer.

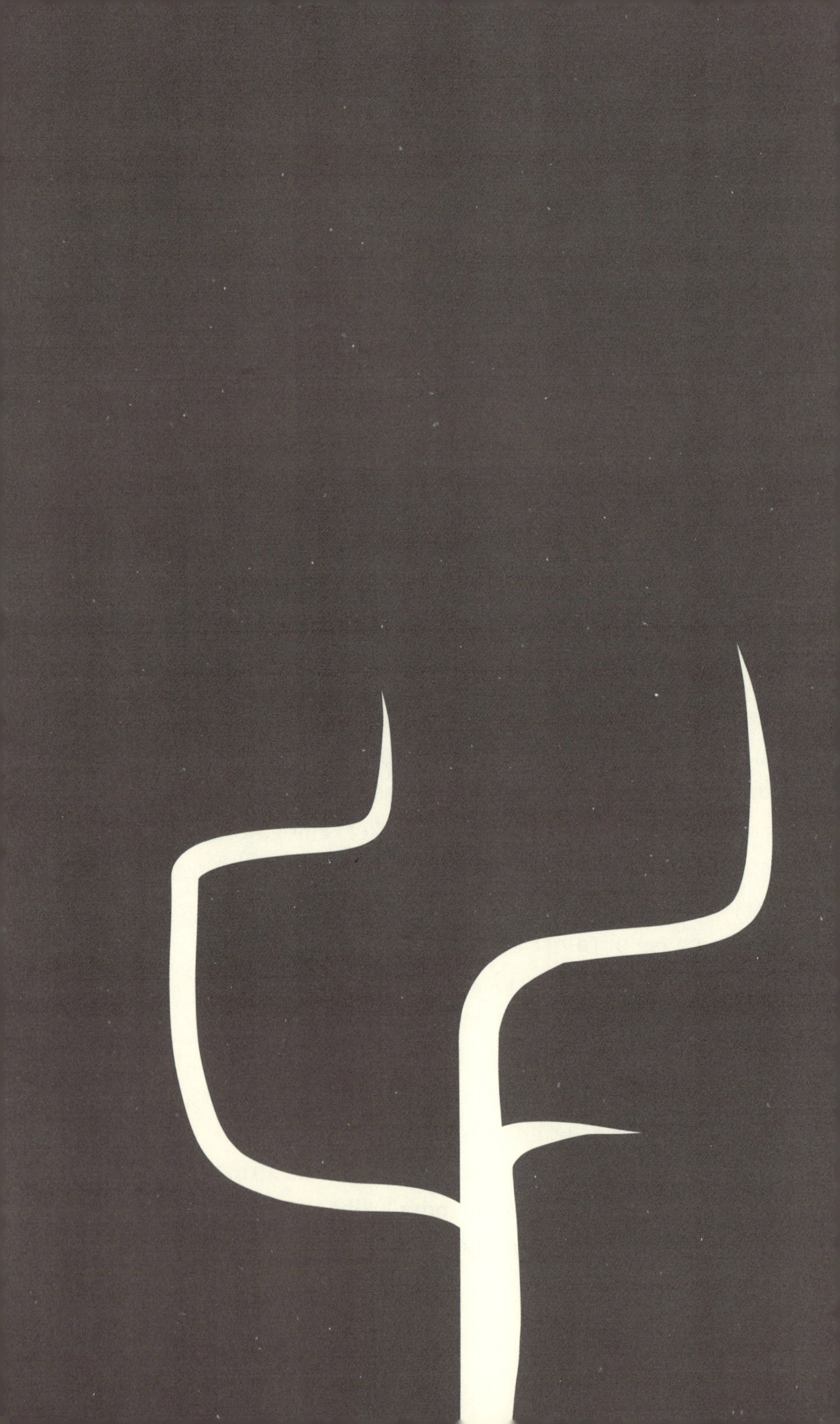

16

Desabrochar

Na primeira noite que passei nesse novo mundo sem Janaína, sonhei alguma coisa que se perdeu no segundo em que abri os olhos. Havia algo de amargo naquele sonho. Na sala, encontrei Raquel com um vestido preto e as tranças organizadas num grande coque sobre a cabeça, andando de um lado para o outro, falando no telefone, aparentemente organizando os detalhes do enterro. Soube depois que minha avó havia deixado instruções específicas sobre como deveria ser a cerimônia. Amélia estava sentada na mesa com uma expressão triste, mexendo distraidamente em seu café da manhã, sem comê-lo.

Quando a vi, me lembrei do sonho. Estávamos, eu e ela, no meu apartamento em São Paulo, mas, curiosamente, ele estava repleto de móveis, um tanto desorganizado. Brigávamos por alguma razão que não conseguia me recordar. Embora gritássemos uma com a outra, e eu estivesse irritada, pairava ali algum sentido que sempre me escapara. De repente, Amélia se cala. Me lança um olhar cruel, a expressão está transfigurada, as sobrancelhas arqueadas, a boca esticada num sorriso maldoso. Ela sabe de tudo. De tudo, não adianta fingir, esconder, justificar, ela conhece todos os meus pensamentos. O queixo se movimenta, Amélia se prepara para dizer alguma coisa e por isso eu corro. Abro a porta do apartamento e corro. Por dentro de casas, onde rostos desconhecidos encenam o cotidiano, uma mulher pica cebola, as grandes ancas cobertas por um tecido estampado, outra porta, outro cômodo, outra mulher amamenta um bebê, seus peitos quase alcançam as coxas, onde o menino está apoiado, corro mais rápido, a próxima porta dá para uma escada, subo, um casal transa sobre uma cama, ela está por cima, apoia as mãos nas pernas do homem jogando o corpo para trás, e mexe os quadris de olhos fechados, eu corro, estou fazendo um caracol, entrando mais e mais fundo nesse cortiço, atravesso um corredor, um homem puxa a camisa sobre o peito, aperta forte o tecido, cai no chão, está enfartando, preciso ajudá-lo, quero correr até ele mas o tempo ricocheteia, tudo acontece em câmera lenta, minhas pernas estão pesadas demais, não consigo avançar, o abandono, subo a escada, o caracol fica cada vez mais apertado, cada vez mais escuro, já não enxergo os degraus, minhas duas mãos se apoiam nas paredes, a passagem é cada vez mais estreita, uma janelinha, abro e preciso me espremer para passar, enfio a cabeça primeiro, depois os ombros, os braços, quanta luz, eu caio de costas, e caio, e caio, olhando para a imensa torre, um cilindro hasteado contra o céu azul.

Uma decisão que esteve borbulhando submersa naqueles últimos dias finalmente emerge. Lembro-me das palavras de Janaína. Num impulso, pego a mão de Amélia, e dizendo "preciso conversar com você", puxo-a porta afora. Ela resmunga durante todo o trajeto, perguntando onde vamos. Quando chegamos à praia, me olha com o cenho franzido, muito determinada, e pergunta se o assunto é sério. Confirmo com a cabeça. De supetão, estende a mão e me pede dinheiro. Tiro atordoada uma nota de vinte do bolso, e a garota sai correndo, com suas pernas magricelas e descobertas, um tanto afastadas uma da outra, saltitando, enfrentando com energia a resistência da areia contra suas inseparáveis havaianas. Apoia os cotovelos no balcão de um quiosque próximo dali – uma estrutura de madeira rústica, com um telhado de vime, madeira e folhas – e ri como se já conhecesse o dono da lanchonete, um garoto forte e bronzeado, que deve ter uns vinte e poucos anos. Volta com duas latinhas de cerveja nas mãos, e meu troco. Tento dissimular minha surpresa, pego uma das latas e aponto para um canto sombreado da orla.

Nos sentamos e ficamos em silêncio por um instante, enquanto busco afoitamente as palavras certas para começar. Agradeço secretamente pela cerveja, abro a lata e dou um grande gole. Decido, por fim, iniciar a conversa pelo tópico mais banal. Conto à Amélia sobre o diálogo que tive com sua professora e o que me disse sobre seu talento, e a necessidade de sair da vila para que ele encontrasse as condições necessárias para crescer e se desenvolver.

Mas não era isso que queria dizer. "Tenho muita vontade de ser sua mãe. Não sei se é muito tarde pra isso, se você achar que sim, eu respeito. Eu entendo também que a proposta que eu quero te fazer não vai apagar tudo que aconteceu, a gente ainda vai ter que conversar muito, brigar muito também, e pode ser que mesmo assim essas mágoas nunca passem. Mas queria que cê imaginasse, se conseguir, se tiver disposta a tentar me entender, o que foi ser uma adolescente de dezessete anos, grávida de um cara que ninguém conhecia, que não queria nada comigo, nessa vila, mais de treze anos atrás. Eu sei que isso não é justificativa, mas, por favor Amélia, se você encontrar algum afeto por mim no seu coração, tenta se imaginar nessa situação. Eu não me sentia capaz de criar você aqui, sozinha, de enfrentar tudo isso. Mas eu sinto muito, muito mesmo, eu te peço perdão por todo mal que eu te fiz. Eu tentei inventar uma vida nova, que não fosse tão sofrida, tão solitária, mas na verdade o que eu fiz foi repetir os mesmos erros, talvez de um jeito ainda mais horrível. Eu nem consigo imaginar o que cê passou nesses seus treze anos de vida, ou talvez eu consiga, sempre fico pensando, fico achando que você deve ter vivido coisas bem parecidas com o que eu vivi, não sei. Eu queria conseguir reparar tudo isso, mas não sei como. Eu pensei em propor, eu entendo que pode parecer maluquice, mas eu queria que cê viesse comigo pra São Paulo. Eu sei que não é simples assim, que sua vida tá aqui, que seus avós te criaram, são

Gameleira-branca

sua referência. Eu sei que tô te colocando numa posição difícil, mas eu não podia deixar de fazer esse convite. Eu posso esperar o tempo que cê precisar pra pensar. E, leva em consideração também que eu não sei se eu vou conseguir ser uma boa mãe, que seria bem difícil, se acostumar com uma cidade tão grande é bem complicado mesmo, eu ia ter que ver como ajustar o meu trabalho, pra passar mais tempo com você, e mesmo assim talvez você ficasse sozinha às vezes, meu apartamento não tem muitos móveis, a gente teria que adaptar pra você ficar bem, eu também não ganho tanta grana assim, então a gente ia ter que pensar um jeito de achar uma escola que você gostasse e eu conseguisse pagar, e enfim, nós duas somos cabeça dura pelo que eu percebi, e talvez a gente ache difícil conviver tanto tempo uma com a outra, mas é isso, eu acho, quer dizer, eu tenho esperança que a gente possa conseguir, com tempo, com esforço, conversando, aprendendo, e quem sabe a gente pudesse ser feliz um dia. Desculpa se for muita informação, se for muita coisa. Eu sei que cê é novinha, não sei se o que eu tô fazendo piora ainda mais as coisas. Mas o que eu queria que você soubesse é que eu sinto muito por ter te deixado, que eu penso sempre em você, e que agora eu acho, eu não sei, eu acho que eu consigo ser sua mãe. Me desculpa mesmo, Amélia. Filha."

Inspiro, estou com medo de me virar para encará-la. Durante todo o discurso, notava com a visão periférica que ela bebericava sua cerveja, e quando acabei, manteve-se olhando para frente, talvez mirando o mar, calada. Até que gira o rosto, eu também viro o meu, e num gesto de soltar os ombros, sorri e diz "eu vou com você".

Um sorriso se abre no meu rosto como uma verdade impossível de dissimular. Ao mesmo tempo, sinto um medo terrível. De que ela leve essa decisão até o fim, e também de que desista em algum ponto dos próximos dias. De que no fim eu comprove o que já suspeitava, que não sirvo para ser mãe. Mas, – penso – seja como for, aqui está o começo de uma relação.

Depois disso, relaxamos. Perguntei sobre os desenhos, e ela me contou a história de sua habilidade. "Ah, quando eu era mais nova, sei lá por que, comecei a copiar as figuras dos livrinhos da escola, e eu era bem boa nisso. Aí eu pedia pro Painho, hum, pro Vôinho, é... pra comprar revistinhas de desenho, dessas que às vezes têm perto dos jornais, que ensinam umas coisas de forma, volume, perspectiva. Aí eu passava dias só fazendo os exercícios, até achar que tava mais ou menos bom. Depois aprendi a ver os vídeos no Youtube, uns tutoriais com umas coisas mais massa. Ganhei até uma fama na escola, tem uns professores que me ajudam muito, a Mônica cê conheceu. Ganhei uns papéis, lápis, pincel, aquarela. Eu e ela conversamos muito, e já decidi que vou fazer Artes." Perguntei, também, se ela tomava cerveja com frequência, me disse que "já tinha bebido umas duas vezes". "Então faz o quatro." Nos levantamos. O terreno era inclinado. A garota abriu os braços, e encarando fixamente o horizonte, com o queixo erguido e o corpo tensionado, tentou manter-se de pé sobre a perna esquerda. Conseguiu suspender a direita por um segundo, e então se desequilibrou, pendendo para frente. Agarrou meu braço, tentando se segurar, mas acabou fazendo com que caíssemos nós duas, rolando pela areia.

Ficamos paradas, incrédulas, deitadas de barriga para baixo por um momento. Quando apoiei os cotovelos no chão e ergui a cabeça, dei de cara com ela, com a mesma expressão atordoada, e o cabelo coberto de areia. Começamos a rir. Rimos durante minutos seguidos, rimos tanto que começamos a sentir dor na barriga. Tentávamos parar, mas se nos lembrávamos da situação, ríamos um pouco mais. Fazia tanto tempo que eu não ria assim...

17
Calunga pequena

Se você quiser amar
Se você quiser amor
Vem comigo a Salvador
Para ouvir Iemanjá
A cantar, na maré que vai
E na maré que vem
Do fim, vem do fim do mar
Bem mais além

Canto de Iemanjá • **Baden Powell e Vinícius de Moraes**

Descobri que algumas das escolhas mais importantes da vida podem ser tomadas de modo intuitivo. A decisão de levar Amélia para São Paulo não foi racionalmente amadurecida, mas surgiu como um facho de claridade que finalmente tornou visível o que há muito vinha crescendo na escuridão. Foi como compreender uma obviedade. Vislumbrei uma ponte longuíssima, que ainda hoje estou trilhando, com dificuldade e pouco a pouco, em direção a... alguma mudança. Mas talvez esteja me adiantando.

    Chegamos, Amélia e eu, novamente na casa de Raquel, sujas de areia, sorrindo. Porém, assim que coloquei os pés para dentro, a casa me pareceu anormalmente sombria. Estaquei, assustada com aquela falta de luminosidade. Só então comecei a assimilar a morte de minha avó. Uma ferroada no estômago, e, de repente, estava totalmente desorientada. Com um meio sorriso, pedi que Amélia entrasse, e recuei para o quintal. Me dirigi às plantas de Raquel, e fiquei fuçando nelas, enquanto respirava fundo, de olhos fechados. Inspirava. Expirava. Tentava extrair calma desse ar que entrava e saía de minhas narinas, tentava esvaziar a mente, não sentir. A perda, no entanto, me ferroava ainda mais forte. Quando o aperto no peito atingiu o extremo do que podia suportar, me ocorreu, pela primeira vez, uma imagem que voltaria com frequência dali em diante: imaginei meus pés como raízes, entrando dentro da terra, meus cabelos sendo transformados em folhas e flores, meu corpo ganhando aspecto de tronco, de caule, e sendo tomado por uma pulsação que parecia fluir do centro da Terra. Uma existência indolor, pacífica, conectada. Aquilo me confortou, e quando abri os olhos, vi Painho tirando do bolso seu velho lencinho. Enxuguei o rosto e entrei.

    Raquel estava sentada numa das cadeiras da sala de jantar, muito altiva, embora com o semblante cansado, totalmente absorta, olhando para dentro de si. Foi como se nunca a tivesse visto realmente. Como é bonita, quase não tem rugas, e suas tranças assim agrupadas lhe dão um ar sublime. Esperava que ralhasse comigo, por ter saído assim de supetão com Amélia, mas simplesmente ergueu o braço, me indicando a cadeira à sua frente.

"Sua avó deixou instruções para quando morresse. Pediu que fosse respeitado todo o ritual da Umbanda, e que somente você acompanhasse a primeira parte. Mãe Terezinha já está lhe esperando na cabana. Mas, segundo Mainha, a parte mais importante não é essa", continuou ela, me fitando e pela primeira vez me fazendo lembrar Dona Janaína. "Pediu que, depois de enterrada, você organize um barquinho de madeira com pétalas de rosa branca, o perfume dela, suas guias e seu turbante. Deve tirar os sapatos e entrar no mar, entregando a oferenda a Iemanjá."

Por que eu?

Me dirijo à cabana de minha avó andando muito lentamente, observando cada detalhe do caminho com olhos bem abertos. Sei que essa é a última vez que o trilharei em direção a Janaína. Daqui para frente, ele se transformará num caminhar rumo à ausência, à saudade. Meu Deus, não vou conseguir lidar com o cadáver de Vovó. Eu sabia que ela ia morrer desde a ligação de Raquel, Janaína tentou me preparar para isso, mas, ainda assim, não estou preparada. É como se um talho violento e abrupto tivesse amputado uma parte da minha vida. De repente. Estou órfã. E isso me reduz ao tamanho e peso de uma pluma, flutuando em alguma parte do universo, sem escolha, sem destino, sem chão, sem ninguém.

Diante da visão da cabana, tenho que parar. Me agacho, com uma mão apoiada na gameleira, a outra na base do pescoço, onde as palavras estão entaladas, sinto a pulsação acelerada das minhas carótidas. Não é possível que isso esteja mesmo acontecendo. Observo o desenho das lágrimas na terra. Quero sair correndo, desobedecer a Janaína. O que ela estava pensando? Sempre soube que eu não era forte o bastante. Por que me deu essa tarefa terrível? Eu não sou capaz. Ela deveria saber.

Me levanto de uma vez e corro para dentro da casa, para não ter tempo de desistir. Mãe Terezinha, que me parece uma senhorinha muito velha, está sentada calmamente na cadeira de fio trançado ao lado do aparador com os santinhos e imagens de Dona Janaína. Me vendo à porta, sorri docemente, estende a mão e segura a minha entre as suas. Sua pele é áspera, unhas compridas cutucam as costas de minha mão, na palma sinto seus anéis gelados.

Me guia para o quarto e começa a tirar as roupas de Dona Janaína. Entro com cuidado. O que vou sentir ao vê-la? Sobre a cama há um corpo que não é minha avó. Está pálida, velha, as pálpebras parecem coladas, o rosto achatado, planificado, os membros rígidos, que a outra velhinha manipula com dificuldade. Não me lembrava de já tê-la visto nua. É desconfortável observar seus seios murchos, seu púbis coberto por ralos pelos brancos.

Mãe Terezinha circunda seu corpo com a fumaça de um incenso; em seguida, asperge sobre ele água consagrada, enquanto pede a Olorum, o divino criador, que permita que, com esse incenso e essa água, a alma de Janaína, onde quer que esteja, se limpe e se torne cada vez mais leve, para alçar voo em direção a planos superiores.

Desenha cruzes na testa, garganta, e costas das mãos de minha avó com um pedaço de giz, a Pemba Branca Sagrada, enquanto conta a história dos Montes Kabanda, no continente africano, de onde foi extraída. Pede a Olorum que a alma de Janaína seja libertada de todos os resquícios desse mundo, desobrigando-a a responder aos cruzamentos materiais feitos aqui, desamarrando-a, para que possa iniciar sua revoada.

Com o óleo de oliva consagrado, faz cruzes na testa, costa das mãos e peito de Janaína, pedindo a Olorum que anule em seu ori todos os remanescentes dos firmamentos de força feitos em sua coroa, livrando-a de ter que responder a qualquer chamado desse mundo, de modo que, purificada, alce voo rumo a esferas superiores.

Por fim, asperge óleos aromáticos da cabeça aos pés de minha avó, pedindo a Olorum que permita que assim Janaína adentre sua nova existência com aura clara e perfumada.

Em seguida veste-a com um de seus vestidos brancos, e orienta que prossigamos com o encaminhamento do corpo ao cemitério.

É o único da vila, fica nos fundos da primeira igreja do povoado. A calunga pequena, como era chamado por Dona Janaína, tem lápides comuns, distribuídas uniformemente, cobertas por flores secas. Em sua entrada estende-se a sombra do cruzeiro das almas, como ela me ensinou. "Fulô, vem aqui. Tá sentindo? Fecha os olhos. Tá ouvindo?" Que isso? Parece que ouvi estalos no vento, será que ouvi? O sol é quente, apoio a mão na testa para enxergar a imensa cruz de madeira pintada de branco, e é como se ela mudasse de cor; pontinhos pretos com halos coloridos aparecem na minha visão. "Aqui no cruzeiro das almas é o cruzamento das força, encontro dos elementos da natureza, ar, água, fogo e terra, cima e baixo, esquerda e direita, céu e chão. Aqui é onde se toca vários mundo, que nem fosse uma ponte. É por isso que nós vem cá cultuar as alma, é mais fácil conversar com os Exu e Preto-Velho, que são nossos mensageiro, talvez até cê consiga um dia ver uns dele. Eles é bonito, como eles é bonito, parece as estátua de barro que Sô Francisco faz, com aquela cara muito honrosa, de quem acompanha o passo do nosso senhor Jesus Cristo." Janaína queria um enterro simples. Avisamos somente os familiares, como pediu, mas todo o povoado compareceu à sua despedida. Muitos trazem no rosto sincero pesar, os velhos seguram junto ao peito seus surrados chapéus de palha. Segue--se a segunda parte da cerimônia.

Mãe Terezinha fala de minha avó, encomendando seu espírito a Olorum. "Nós envia Janaína com muito amor, Pai. Nós veste de flores nossa saudade, porque nós sabe que essa calunga não é o fim. Esse Cavalo cumpriu seus desígnios e sua missão. Muié que passou pela Terra com amor, lealdade, fé e caridade, seguindo os ensinamento do nosso mestre Jesus. De todo povo dessa comunidade cuidou, ajudou os irmãozinho encarnado e os desencarnado. Foi muié de fibra, generosa e justa. Passou pelas suas provação com dignidade. Caminhou sempre pra evolução e iluminação de seu espírito, como o Senhor nos recomenda. Por isso, Paizinho, arreceba Janaína e acolhe sua alma. Ela vai chegar bonita e perfumada de alecrim, guiada por nossas vela e melhores sentimento. Ela já retornou pra sua grande morada, junto de Tu, Criador que animou seu corpo encarnado. Esse corpo agora vai alimentar a terra. Olorum, envolve Janaína em teu amor eterno."

Dois meninos segurando atabaques se posicionam ao seu lado e tocam um ponto para Oxalá, o hino da Umbanda e um canto para Omulu, orixá das passagens, que recebe e encaminha os espíritos. Por fim, o canto de Iemanjá, orixá de cabeça de Janaína. Mãe Terezinha orienta que todos venham se despedir, o caixão é fechado, e a terra bate com um som oco sobre a madeira, até que, finalmente, cobre minha avó para sempre.

Janaína agora é memória. Resgatar os momentos com vovó é como assistir a uma cena em cores quentes, tons alaranjados. Como se nos tivessem eternizado numa pintura expressionista, ou numa grande tapeçaria tecida com as linhas do pôr do sol, onde nos retratam felizes, imóveis, emaranhadas. Tudo ali emana calor e aconchego. Janaína irradiava uma luz só dela, hoje extinta do planeta. Volto à vovó, de olhos fechados, sempre que o mundo desbotado, em tons pastéis, ameaça me descorar. A lembrança de Janaína brilha, então, como talismã.

Não paro um segundo, transito de mão em mão, as pessoas se enfileiram em meu entorno, cada uma com intenção de contar alguma história de Dona Janaína, algum momento em que a velha os ajudou. Vez após outra uma mão agarra meu ombro "Vem cá, menina". Até que bato os olhos em Manoel. Não sei de onde saiu; naquele povoado sentimos que conhecemos todos os rostos, mas, de algum modo, nunca o havia encontrado. Está parado sobre um montinho mais afastado, colado aos fundos da igreja. É um velho distinto, usa um terno bege claro, o cabelo rente à cabeça é prateado e contrasta com sua pele muito preta. Segura uma rosa branca junto ao peito, parece tomado por grande tristeza. Sou atraída em direção a ele. Me apresento e pergunto se conhecia minha avó. Ele me estende a mão áspera e abre um sorriso desdentado "Qual é a sua graça?"

"Senhorita Dora, saiba que tenho uma dívida eterna com a senhora sua avó. Muitos e muitos anos atrás, a senhorita me perdoe o constrangimento de um homem da melhor idade, mas preciso lhe contar-lhe, um dia, a senhorita não poderá me acreditar que eu fui andarilho. Viajava de pé assim dum povoadinho para o outro, nesses mundos velhíssimos de Brasil acima. Coisa que aconteceu comigo, senhorinha, dificílima de explicar para quem não esteve, certamente, certamente, em minha situação. Com a maior das dores no peito conto que perdi minha dignidade, minha honra. Cara Dora, pois se eu não era nem mais uma pessoa. Não era gente. Era um ser desolado, sem futuro, sobrevivendo miudamente, covarde demais para tirar minha própria vida.

Me acheguei-me nessa simpática vila, senhorita, mas que não pude apreciar seu povo da maior das bondades, porque a fome apertou. O que vi é que eram pobrezinhos e não tinham muita coisa pra dividir. Então, um dia, eu caminhava pela praia soprado pela maresia de nosso queridíssimo oceano, que era quase como tomar um banho, que, a senhorita perdoe a chuleza de falar dessas sujidades do corpo, mas eu que não via um sabão há tanto tempo, quando vi a cabaninha singela da amada Janaína. A porta estava aberta. A senhorita me perdoe, ah, me perdoe antes de tudo que vou lhe contar--lhe, minha querida. Não posso mentir-lhe. Enfiei a cabeça para dentro, e vendo que não havia ninguém, entrei procurando a cozinha. Quanto vexame, que Janaína chegou pelos fundos e me pegou com as mãos cheias de pão, frutas e um frango inteiro. Que vergonha, que vergonha. Ser imundo que fui, sim, senhorita, sim, me admito, mas vós tem bom coração, por sua linhagem sei, e há de entender um homem quando chega no calabouço desses submundos. Vossa Vóinha, pois, me encarou com brilhante dignidade, com uma cara que nunca jamais me esquecerei, e me mandou eu me sentar à mesa. Desembrulhou jeitosa um queijo, me arrumou-me caridosa um pedaço de pão, tirou o franguinho morto de minhas mãos, e me fez o almoço mais delicioso de todos! Ela cozinhava, e me pedia que eu lhe contasse minha história. Já nem lembrava bem, senhorita, mas não, ó não, não podia lhe faltar-lhe com a honestidade à minha santa. Vos contei o pouco que me recordava ainda. Em palavras resumidas, fui um bêbado e perdi minha casa em vagabundagens de noitadas, deixando mulher e filhos sem terem um teto sobre suas cabecinhas. Fugi, não conseguia olhar-me no espelho, tamanha imensa era minha vergonha. Janaína me fez o mais absoluto dos favores e me abrigou em seu próprio lar bendito por alguns meses, senhorita Dora, me ajudou a reganhar minha humanidade e meu ofício de marceneiro. Janaína, minha amada, santíssima santa, mulher puramente gloriosa de Deus, quanta saudade." E limpou os olhos com o lenço que tinha no bolso do paletó.

Eu nunca tinha ouvido falar naquilo. Aliás, aprendi, neste longo dia, o quão pouco sabia sobre a vida de minha avó. Vivi trinta anos como se ela tivesse nascido como sempre existiu para mim, com sua barriga proeminente, as rugas de seu rosto – que tornavam seu sorriso uma coisa a franzir-lhe os olhos – os braços sempre abertos para me cuidar, as histórias, o giro do corpo no terreiro, ervas queimando em uma cumbuca, orações sussurradas numa língua estranha.

Perguntei a Manoel se, considerando toda essa amizade, ele faria um último favor à Dona Janaína. Pedi que construísse um barquinho de madeira.

18
Calunga grande

Andei por andar, andei
E todo caminho deu no mar
Andei pelo mar, andei
Nas águas de dona Janaína
A onda do mar leva
A onda do mar traz
Quem vem pra beira da praia, meu bem
Não volta nunca mais...

Quem vem pra beira do mar • Dorival Caymmi

Próximo das cinco horas da manhã o dia já raiava, e fui acordada por um bater de palmas na porta da casa de Raquel. Acordei ao primeiro som e me pus de pé; uma urgência aparentemente sem razão impelia meu corpo ao portão. Encontrei Manoel com a mesma roupa do dia anterior, olhos fundos e um imenso sorriso desdentado, erguendo o lindo barquinho acima de sua cabeça. A barca, tão cheia de detalhes coloridos que me lembrou uma obra de Bispo do Rosário, reluzia em verniz contra a luz gentil do Sol recém-despertado.

Apanhei dentro da casa o vidrinho de perfume, as guias e o turbante, que já estavam guardados na gaveta do aparador da sala desde o dia anterior, colhi algumas rosas brancas no jardim de Raquel, e corri com o velho em direção à praia.

Corríamos como crianças, alegres. Era a emoção que genuinamente nos acontecia, e nada me convenceria de que não fosse exatamente essa a vontade de Janaína. A morte de Vóinha encontrava a embarcação necessária para realizar sua travessia.

Retalhos formavam velas de múltiplas cores, nas quais se bordavam palavras de carinho: amor, amada Janaína, obrigada, saudade, santidade, luz, minha querida, companheira. Saltitamos, carregando nos braços todas aquelas coisas, e rindo, não sabíamos por quê.

Quando chegamos à praia, o Sol brilhava pouco acima do horizonte. Abri o frasquinho de perfume e inalei o cheiro que lembrava uma mistura de lavanda e alecrim, passei-o a Manuel e fechei os olhos, acometida pela presença de Janaína, que assim, de olhos cerrados, poderia estar logo à minha frente. Quando abri as pálpebras, Manoel e eu tínhamos os olhos marejados, regados por minha avó. "Adeus Janaína, filha de Iemanjá."

Montamos a oferenda como ela ordenou. Espalhei as pétalas de rosa, ajeitei com cuidado seu turbante e suas guias, apalpei-os por um instante, memorizando a textura das miçangas, do tecido de chita que Janaína usava sempre sobre os cabelos. Tirei os sapatos.

Entro no mar calmo, verde e quente.

Quando encosto nas águas, elas se agitam. As ondas crescem, e preciso saltá-las várias vezes, completamente molhada por fim, tentando proteger o barquinho. As águas passam por entre minhas pernas, me puxam com mais força, fazendo com que meus pés se afundem na areia que se move abaixo deles, é cada vez mais difícil me manter erguida. Uma ventania súbita e a água subindo, subindo, se agigantando numa onda cada vez maior, grande demais, a maior que já vi. Ela se ergue acima da minha cabeça e quebra sobre mim, me fazendo rolar entre as espumas. O sal adentra minhas narinas, todo o meu peito arde, não consigo me levantar para puxar o ar, minhas pernas não encontram o chão. Sinto que estou sendo arrastada mais e mais para dentro do oceano.

O tempo para e a vejo.

Uma mulher negra gigantesca flutua abaixo de mim, reluz em feixes azuis e dourados, uma coroa de pedras brilhantes, uma franja de contas cobre seus olhos, o tecido de sua saia azul se confunde com a água, se torna a própria correnteza do mar. Os atabaques começam a tocar. Tudo vibra em torno de mim. Ouço a voz de Janaína, aguda e rouca, projetando-se como quando fechava os olhos e se entregava de tal forma a um ponto, que era como se nada mais existisse, como se ela estivesse ali, mas não estivesse, como se a voz fosse além, e quem ali se encontrasse era embalado pelo canto que vinha de dentro. "Odossiaba! Odossiaba!" A mulher imensa começa a mexer os ombros e quadris no ritmo do batuque. Janaína está cantando no terreiro, em outro tempo. "As onda do mar rolou, as onda do mar rolou, as onda do mar rolou, minha mãe Iemanjá, rolou. Saravá, Rainha do Mar, saravá, minha mãe Iemanjá!" Olho para ela. Debaixo de mim, acima de mim, por fora de mim, por dentro de mim. "Odossiaba! Ah debaixo da pedra tem uma pedra, debaixo da pedra tem outra pedra, debaixo da pedra tem areia, ah quem manda no mar é a sereia. Tem areia ô, tem areia ô, tem areia no fundo do mar, tem areia." Ela dança, eu balanço. "Eu fui na beira da praia pra ver o balanço do mar, eu fui na beira da praia pra ver o balanço do mar. Eu vi um retrato na areia, me lembrei da sereia, comecei a chamar. Ô Janaína, vem ver! Ô Janaína, vem cá! Receber suas flores que venho lhe ofertar!" Janaína ainda canta. Janaína dança. A música começa a se afastar, o atabaque se torna mais lento, a mulher em mim se move mais devagar.

Uma segunda onda me lança de volta à praia, um dos meus pés toca a areia e o mar se faz novamente calmaria. Me levanto muito tonta e saio da água. Olho para todos os lados, nem sinal do barco ou de Manoel.

19
Embarcação

Para ler ouvindo "Embarcação", do Sexteto Sucupira.

Dora caminha, deixando um rastro de água na pequena estrada de terra que liga a praia ao asfalto. Leva os sapatos nas mãos, e os olhos vagam. Está atordoada, como se continuasse rolando em um turbilhão de água salgada, sem saber o que está acima e o que está abaixo. Não compreende se aquela imagem que viu estava mesmo flutuando no fundo do oceano ou se tudo se inverteu, e ela, envolvida pelos braços do mar pela primeira vez pôde ver o céu. Não sabe se, naquele instante, participava deste mundo, se foi mesmo um instante, ou se ali, exatamente, rompeu-se a linearidade do tempo.

Dora caminha, seguindo o imperativo das pernas. Pernas invadidas pela maresia que se infiltrou sob a pele, e, pé ante pé, reluzem, douradas pela combinação entre umidade e sol da manhã.

A poeira se acumula, formando uma crosta sob a sola dos pés; ela deixa pegadas no caminho. Pegadas que se assentam sobre pegadas mais antigas, suas, de Janaína, de Raquel, de Amélia, de tantas outras. Chão compartilhado e batido pelo peso de seus corpos e seu caminhar cheio de medo e de fúria.

Tudo é agora. Tudo o que se passou se repete infinitamente dentro de seu peito. Janaína, morta e enterrada, ainda se faz notar em suas palpitações. Enquanto, simultaneamente, sem que ela perceba, o ritmo de seu coração pulsante a conecta com a energia circular, que em movimentos espiralares, se voltando eternamente para dentro de si e para fora de si, a envolve e a amarra ao mundo dos vivos.

Ali está ela: Dora. Revivendo sua história.

...

Quando percebi, estava novamente diante da casa de Raquel. Entrei, e minha mãe lavava o quintal, com a saia amarrada nas pernas e chinelo de borracha, o tronco envergado, segurando a mangueira. Me lançou seu habitual olhar de julgamento, mas, parecendo prostrada, nada disse.

O dia era quente, embora eu sentisse meu corpo gelado, como se minhas roupas molhadas tivessem recebido um sopro dos polos, de alguma terra fria, talvez São Paulo. Entrei imediatamente no banho. Agradeci pelo chuveiro elétrico, outra novidade recente.

Gameleira-branca

Enquanto a água morna atenuava a sensação de congelamento, ia pensando em Amélia, nos passos que deveríamos trilhar dali para frente. Nos dias que antecederiam nossa partida, mas também nas grandes adaptações que seriam necessárias, na minha vida e na dela. Senti angústia quando imaginei que tudo teria que mudar, e que, a partir de então, assumiria uma profissão que jamais me abandonaria, por nenhum instante, nenhum segundo. Sem finais de semana, férias ou feriados. Me parecia a profissão mais desafiadora do mundo, ser mãe. Mal sabia o que essa palavra realmente significava. Sabia, porém, que essas três letras, de algum modo, concentravam uma densidade infinita, com potencialidade para criar abismos. No fundo deles, a quina do planeta. Era tarde, no entanto, para mudar de ideia.

Me enxugava quando me dei conta de um fato óbvio, que não me ocorrera até então. Precisava conversar com Raquel o quanto antes. Me sentei de toalha no vaso sanitário, procurando algum jeito de não ter de atravessar o arame farpado do que jamais fora dito. O passado jamais citado. Tudo aquilo que pairara entre nós em silêncio, a expectativa e a tensão sempre crescentes. Precisava riscar o fósforo e o atirá-lo sobre a montanha de pólvora. Por isso fiquei ali, sem me mexer, até que Raquel começou a bater na porta, primeiro com leveza, e depois – diante da ausência de respostas – com murros que chacoalhavam a madeira. Quando ameaçou arrombá-la, abri. Dei de cara com minha mãe, Painho e Amélia, os três de pé, me encarando.

As palavras foram saindo atropeladas: "Eu e Amélia conversamos ontem, e decidimos que vou levá-la para

São Paulo. Para morar comigo." Raquel começou a gargalhar, me deixando absolutamente estarrecida. Não conseguia me lembrar de outro momento em que tivesse feito tanto barulho, muito menos na forma de uma risada. E então, subitamente, ficou séria. Virou o rosto para Amélia, em interrogação, e a menina, com evidente pesar, assentiu com a cabeça. Virou-se de volta para mim e tinha na face uma expressão que com o tempo me parece cada vez pior. Os olhos marejados de raiva e desprezo, a boca tensa; ergui as mãos como pude na frente do rosto, segurando a toalha entre as axilas, achei que ia cuspir em mim. Não o fez. Me olhou de cima a baixo. Ali, com os ombros tensionados, segurando de mau jeito o pequeno pedaço de pano, sentia meu rosto queimar de constrangimento. Ela inspirou fundo, encheu o peito, e caminhou para seu quarto.

Só sairia de lá na tarde do dia seguinte.

...

Aquela casa nunca soube o que eram vinte e quatro horas sem Raquel. Desde que a menina de dezoito anos ultrapassou pela primeira vez a porta de entrada, aquele passou a ser o centro de seu universo, o cenário de todos os seus dias por quarenta e um anos, nos quais manteve todas as coisas em seus precisos lugares.

Jamais articulou as palavras exatas, mas, embora sentisse alívio por ter deixado finalmente a casa da mãe, e por maior esmero que tivesse com o chão, as louças, os móveis, aquilo também não parecia um lar. Não como imaginara.

Gameleira-branca

Era muito católica desde que Padre Serafim, passeando na praia com o cachorro, a viu sem blusa, jogando futebol com os garotos, como se fossem iguais. Correu até Raquel e cobriu-a com a batina, protegendo-a até que apanhasse a camiseta, jogada sobre uma pedra. Depois, se sentou com ela e disse que nunca, nunca, nunca podia mostrar os seios assim publicamente, o que as pessoas iam pensar, e pior, o que Jesus acharia daquilo, daquela sem-vergonhice, iam falar que era promíscua, degenerada, mulher da vida. Raquel, embora não compreendesse o significado daquelas palavras, sentiu-se muito suja. Nunca imaginou que estivesse desagradando a Deus, que vergonha, que vergonha. Depois o Padre lhe falou do inferno, do fogo, do mar de lava fervente, das pessoas sem pele, dos olhos arrancados por corvos, explicou com detalhes o que era esquartejamento, "e é para lá que vão as almas pecadoras, que não seguem o que Jesus ensinou". Raquel de olhos arregalados. Naquele dia o Padre a ensinou que para rezar era preciso estar de joelhos, "agora uma mão enlaçada na outra bem forte, agora você fecha os olhos e pode falar com o Papai do Céu". Chegando em casa, fez como instruído, e ali ficou enquanto os joelhos aguentaram, suplicando ao Papai do Céu que a perdoasse, "nunca mais vou fazer isso, nunca mais, e vou começar a ir na igreja", se fosse todos os dias, quem sabe ele não mandasse toda a sua família para o inferno.

Pedia a Janaína que trançasse o seu cabelo para ficar mais parecido com o de Maricotinha, vestia seu melhor vestido, e pedia para mainha fazer outros assim bonitinhos. "Cê é criança, Raquel, melhor usar short pra brincar. E pra quê diabos ficar indo na igreja desse jeito? Lá não é nosso lugar. Cê sempre gostou de brincar com os Erê, agora num gosta mais?" A menina tentou explicar sobre o inferno e que todas elas tinham que buscar a salvação, mas Janaína explodiu num grito "Arre! Azuada! Então sua mainha é do demônio? Que monte de minhoca é essa que enfiaram em sua cabeça? Me respeite, minina! Vou lavar sua boca com sabão pro cê aprender a não falar besteira." A menina gritava enquanto Janaína puxava sua língua para fora e esfregava sabão de coco; soluçava com gosto de espuma enquanto a mãe a arrastava em direção a igreja. Janaína bateu a mão na porta de madeira, entrou pisando firme, e se dirigiu diretamente ao púlpito, interrompendo a missa e puxando o Padre pelo colarinho. "Nunca mais, nunca mais, entendeu, chegue perto das minhas menina. O sinhô num fala por aí que eu sou bruxa, macumbeira? Pois então se eu fosse o sinhô tomava muito cuidado!"

Naquela semana Raquel não se levantou da cama. Janaína sentava-se ao seu lado e contava história, cozinhava seus doces preferidos, fez os vestidinhos que pediu e até uma nova boneca. Mas a menina permanecia prostrada. A testa continuava fresca, "devem ser febres interna". Quando finalmente abandonou as cobertas, estava mais velha, mais moça, ganhou um semblante sério.

Por oito anos Raquel não proferiu uma só palavra, comunicando-se com gestos e depois por escrito. Na vila corria o boato que tinha ficado muda por castigo divino. Só voltou a falar aos quinze anos, quando Constantino veio até a cabana pedir a garota em namoro, dizendo que suas intenções eram as melhores, que quando ela tivesse idade, queria se casar com Raquel. Enquanto Janaína meditava sobre o assunto, foi surpreendida por uma voz que já não conhecia – "eu aceito". A mãe a abraçou, "se é da vontade dela, Seu Constantino, eu dou minha permissão". Depois que ele se foi, Raquel disse a ela que gostaria de se casar virgem, como Deus manda – o que muito a agradou – e pediu autorização para voltar a frequentar a igreja. Janaína, que já tinha encontrado a pequena bíblia que a menina escondia dentro de um buraco no colchão, entendeu que não havia remédio senão concordar.

Raquel conheceu Constantino dois anos antes, o viu pela primeira vez numa de suas escapulidas até a igreja. Na saída, o moço lhe ofereceu um sorvete, que ela aceitou com um sorriso, lhe dando as costas. E que belas costas. A partir desse dia, Constantino adquiriu um novo hábito, o de passear pelas proximidades da cabana, exatamente às três da tarde, horário em que a menina mexia na horta de temperos. "Eu vou me casar com você!", e ela lhe espirrava água da mangueira.

Depois de autorizado o namoro, eles se davam as mãos no sofá da sala, e se encaravam de tempos em tempos. Conversavam muito pouco, talvez porque Raquel não estivesse acostumada à própria voz. De vez em quando, Constantino chegava sem avisar, e sem que Dona Janaína percebesse, puxava a garota até o bosque, onde se beijavam, e ele metia a mão debaixo de sua saia ou por dentro do decote. Raquel, ofegante, a afastava todas as vezes. Assim continuava a luta, até que os dois estivessem exaustos.

Durante os três anos que se seguiram, num caderninho, a garota anotava todos os detalhes de seu casamento. O vestido de renda, o colar de pérolas, Constantino carregando-a para um lindo carro sob uma chuva de pétalas de rosas, os dois eternizados numa fotografia como aquelas das revistas. Mas todas as parcas economias do homem foram para a casa, que compraram com a ajuda dos pais, e o casamento se deu rapidamente, com a benção de Padre Serafim, Raquel com um vestidinho branco de algodão transpassado por elásticos. Sem véu.

Assim que ultrapassaram a porta do novo lar, Constantino começou a beijá-la, a agarrar seus seios com as duas mãos, e quando Raquel tentou afastá-lo, disse que agora era seu marido e que ela tinha obrigações como esposa. Ela abaixou os braços e ficou muito quieta, permitiu que a despisse, que percorresse seu corpo, que enfiasse os dedos onde queria, arrastou os pés quando ele pegou sua mão e a puxou até o quarto, deitou-se sobre o colchão ainda embalado em plástico, deixou que ele afastasse suas pernas, e chorou baixinho quando a penetrou pela primeira vez, o que, felizmente, não durou mais que alguns minutos, até que o marido tombasse ao seu lado.

Anos depois, ainda ouvia as radionovelas e suspirava, querendo ser como aquela Rosalina, ou aquela Carmem, e quem sabe partir para o exterior, fumando cigarro numa longa piteira, na companhia de um homem de terno e brilhantina, trabalhador honesto que acabara de descobrir-se rico, após herdar o patrimônio de um tio falecido. No fim, ser esposa significava algo muito diferente do que poderia supor: uma infinidade de tarefas que precisavam ser executadas e que tomavam toda manhã e tarde. E então, no dia seguinte, era preciso fazer tudo novamente. A máquina de lavar tinha sido uma aquisição dos últimos anos, e, ao ligá-la, Raquel sempre pensava em quanta vida desperdiçou no ato de esfregar as roupas da família, peça a peça, contra o tanque de pedra. Odiava aquele tanque, tinha vontade de um dia poder reduzi-lo a pó com nada mais que um martelo. Para que sentisse cada pancada. Para que não perdesse a visão de um único fragmento a desmoronar.

Quando sua irmã Rosa, a mais velha e querida, veio lhe visitar pela primeira vez, durante uma das viagens de Constantino, sentaram-se para tomar café e Raquel foi surpreendida pela pergunta a respeito da noite de núpcias. "Doeu." Rosa, que nunca se casou, começou a explicar como funcionava o sexo, um pau, e também o que ela poderia fazer para que ele gozasse rápido, se não quisesse ter relações "você mexe com a mão assim, pra cima e pra baixo, bem rápido". Raquel ria constrangida e achava a irmã ainda mais luminosa, Rosa sabia de tudo. "Você quer engravidar, Raquelzinha?", "Não", "Então tome então essa caixinha. Cê tem que tomar um comprimido por dia, não pode esquecer, tá bom? Aí tome por vinte e um dias e depois pare sete, pra descer pra você. Passou a semana, é só começar tudo de novo. Eu vou trazendo as caixinhas todo mês, viu?", "Desse jeito não engravida?", "Não, não engravida."

Raquel seguiu a recomendação da irmã religiosamente, sem que Constantino soubesse, até os comentários do povoado de que estava seca por dentro, três anos de casamento e nada de menino. A pedido do marido, passaram a comer espinafre em todas as refeições, que era para Raquel ter ventre forte, "agora vem nosso hominho!" As comadres da igreja lhe recomendavam receitas de simpatias, "faz direitinho, viu, que cê sabe que se ele não consegue o que quer, procura outra". Um dia parou de tomar os comprimidos.

E então as crianças. O pior de tudo eram as crianças. Depois delas, manter a casa organizada demandava o dobro de esforço. Não dormia, e os dias se emendavam, todo dia sempre o mesmo dia, o mesmo dia que só findaria com a morte.

Antônio já era um rapazinho quando Raquel, num descuido, se emprenhou da menina. Desde que se casara, rezava todas as noites para não ter filha mulher. Sentia horror à ideia de colocar no mundo alguém que só faria penar, e que, por décadas, lhe demandaria vigilância constante, para não acabar desonrada.

Quando a filha virou moça, chegou a ter esperança de que algo pudesse ser diferente, era esperta. Mas desobediente. E desde bebê não gostava da mãe. Chorava a noite toda, não aceitava o acalento de Raquel, parecia querer puni-la por alguma razão. Quando a mulher oferecia os braços, corria para o colo do pai, humilhando-a na frente de todos. Pois deu-se o resultado comum e o destino esperado: a menina, que jamais ouviu suas orientações, pagou o preço.

Gameleira-branca

Paz, Raquel conheceu somente em seu jardim. As plantas, em oposição à vida, estavam sempre mudando, sempre respondendo aos seus toques e cuidados. Tinham uma existência calma, com raízes fortes e folhas balançando ao vento, sem ferir. Eram belas, estáveis, e davam-se inteiramente ao equilíbrio do mundo, forneciam sombra, ar, alimento, adubo. Vendo-as assim, sentindo seu perfume, Raquel fechava os olhos, e imaginava seus pés invadindo a terra, criando raízes, seus cabelos se tornando folhas bem verdes, alimentando-se de luz; no lugar dos seios e do ventre, flores e frutos brotando sem fim. Se algum dia tivessem perguntado à Raquel qual era seu sonho, diria que gostaria de ser planta.

Agora estava ali, deitada, recusando-se ao que quer que lhe pedissem. Dormiu como nunca. Quando se levantou, a casa estava vazia. Sentiu um cheiro horrível e foi procurar de onde vinha. A cozinha estava muito suja, com louças usadas espalhadas por toda parte. Sobre o armário, uma vasilha aberta, com os restos de uma dobradinha que tinha cozinhado dois dias antes, aparentemente abandonada ali há algum tempo. E repleta de moscas.

...

Passamos a manhã, eu, Amélia e Painho, perambulando pela casa. De tempos em tempos, o Pai abria a porta do quarto e verificava que a esposa ainda respirava; depois nos assegurava que sim, continuava dormindo, está tudo bem, "ela deve tar cansada, só isso". Em algum ponto, Amélia sugeriu que comêssemos pastel na feira, estávamos famintos. Quando dobramos a primeira esquina, Painho começou a cumprimentar as pessoas que passavam pela rua, apresentando novamente sua filha e neta àqueles dos quais já não nos lembrávamos bem.

Me ocorre que eu estou partindo novamente. O cenário ganha cor, e quero capturar tudo com os olhos. A gritaria entre as barracas, o jeito sedutor das vendedoras oferecendo produtos e descrevendo-os com toda a sorte de palavras que remetam a doçura e suculência – além de bom preço –, as velhinhas corcundas arrastando seus carrinhos enferrujados, com suas alpargatas encardidas e seus cabelos amarelados, as sacolas de náilon coloridas, os senhores erguendo sobre os ombros grandes peixes, o cheiro de frutos do mar, fritura e garapa com limão.

Comemos satisfeitos dois pastéis cada um, enquanto eu e Amélia bebemos nossos caldos de cana; Painho não, detesta garapa, e conta que – num dos poucos relatos que já ouvi sobre sua infância – "eu era uma bribinha, devia ter uns quatro ou cinco ano, mas me alembro bem, era o ano de 1963 quando a seca veio forte. O boizinho do Pai morreu, a plantação secou, e nós já não tinha o que comer. A Mãe ficou ariada, que era uma renca de menino com fome. Aí ela dava pra nós a garapa na mamadeira. E quando não tinha mais garapa, ela dava pinga, pra nós dormir logo. Um dia o Pai pegou nós, conseguiu um burrinho como pago de dívida, e nós desceu até chegar aqui".

Em seguida, nos leva para visitar compadre Toinho, amigo de Painho homenageado na ocasião do nascimento de Antônio. Lembro-me de tê-lo visto na infância, mas consigo evocar somente flashes, imagens borradas de sua casa, de sua família. Ele e sua esposa Tercina, uma senhora muito simpática, nos servem café. Depois nos acomodam no quintal, onde o compadre apoia o acordeão nos joelhos e começa a tocar um baião. Painho marca o ritmo com a sola de um pé e a palma das mãos; a cabeça baixa para ouvir. Está satisfeito e compenetrado, estranhamente presente.

No caminho para casa, parecendo reflexivo, dispara na frente. Aproveito o instante para tocar o ombro de Amélia e comunicar-lhe, com um sorriso, que no dia seguinte comprarei nossas passagens. A menina me olha, enche o peito como quem está prestes a dizer algo, mas segura o ar por um instante e depois expira, deixando cair os ombros, assentindo com a cabeça.

Quando abrimos o portão, damos de cara com Raquel agachada no jardim, curvada para frente, apoiada nas mãos, com os dedos enfiados na terra, as pernas flexionadas ao lado do corpo, de cócoras, o quadril quase tocando o chão. Parece um bicho inflando as ventas.

Entramos em casa atônitos, e está limpa, cheirando a desinfetante, a louça foi lavada e guardada. Amélia corre para o quarto. Eu e Painho fingimos que nada está acontecendo – a não ser por um ou outro momento em que nossos olhares se cruzam, e percebemos, mutuamente, a cara de susto. Posso cuidar de qualquer pessoa, mas não de Raquel. O que eu vou fazer se tiver surtado? Que estranho, nunca me passou pela cabeça que pudesse adoecer. Não saberia tocar nela... Menos ainda cuidar.

Minha mãe fica ali durante horas. Quando já é noite, entra em casa toda suja de barro, e se dirige ao banheiro. Sai do banho, e é novamente Raquel: trata-nos com a mesma altivez de sempre.

Nada mais é dito sobre o assunto.

...

Na manhã seguinte, sentaram-se todos à mesa, na mesma disposição de sempre. Raquel preparou o café da manhã e o dispôs sobre o velho forro impermeável: cuscuz, mandioca cozida, pães assados na chapa, bule, xícaras.

Quando se curva para ajeitar os pratos sobre a mesa, apoia-se suavemente com a mão nas costas de Amélia, e a menina encara seu pescoço, com expressão de afeto e pena.

Constantino parece distraído, lendo o jornal do dia anterior. Dora rói as unhas, e a todo momento abre novamente a mala maior, checando se alguma coisa foi esquecida, constatando sempre que não. Procura os olhos de Amélia, mas a menina evita os seus.

...

Estão todos na pequena rodoviária, sob o escaldante telhado de Eternit. Vê-se um velho magro com um rosto desidratado, enrugado e firme, mãos nos bolsos, olhar perdido. À sua direita a esposa, aparência mais jovem, cabelos trançados, coluna ereta, encarando algo à sua frente com muita seriedade. Seu rosto transparece um grande esforço para manter-se focada, e parece desconfortável ao ser envolvida pelos braços da menina, que está agarrada a sua cintura, com a cabeça enfiada em seu peito. A avó não a abraça, dá somente tapinhas em suas costas.

À direita das figuras, mais distante dos outros três, uma mulher bonita de trinta anos, que parece descolada do cenário. Ao seu redor empilham-se malas, mochilas. Vê-se que não é dali.

...

Amélia está na rodoviária, de pé entre as duas mulheres, e aquilo a faz compreender subitamente a posição em que se encontra. A cabeça, que já estava doendo, agora parece estar sendo esmagada, e, de repente, a luz é demasiada. Percebe que Dora a observa, e não podendo mais suportar tudo aquilo, cobre o rosto com as mãos, como um bebê que acredita assim poder ocultar o corpo todo.

Atravessa-lhe a lembrança das madrugadas que passou sentada diante da avó.

Aquilo começara alguns anos antes, quando uma colega da escola, sem qualquer razão, lhe perguntou sobre sua mãe, e ela não soube responder. A questão lhe desconcertou profundamente. Passou a tentar imaginar como era Das Dores, a tinha visto em foto algumas vezes, mas não conseguia visualizar seu corpo em movimento, supor como soava sua voz, qual era sua altura, o ritmo do piscar de seus olhos, o gestual que utilizava ao conversar. Nas poucas vezes em que ouvira falar dela, lhe pareceu que fosse uma pessoa inteligente e difícil, arrogante, rebelde e bem-sucedida, e isso era o tudo o que pudera deduzir.

Desde a pergunta da amiga, acordava sempre no meio da noite. Numa dessas ocasiões levantou-se e encontrou Raquel perambulando pela casa. Se entenderam imediatamente. A avó sorriu com tristeza, e puxou uma cadeira para que se sentasse. Fez chá de camomila e serviu a ambas, que o tomaram em silêncio. Depois despediram-se e foram dormir. Desde então, o ritual repetiu-se todas as noites, e só cessou quando Dora chegou à vila.

Amélia, parada sob o telhado de Eternit, imagina quantas madrugadas a avó terá que enfrentar sozinha dali em diante. Não consegue suportar a dor que a imagem lhe causa, e por isso, ainda que não saiba muito bem como fazê-lo, a abraça.

...

O ônibus estaciona e Dora começa a organizar as bagagens, enfia as passagens e o documento de identidade no bolso da calça. Amélia não se move, permanece com o rosto escondido no peito de Raquel. Preciso chamar Amélia. Ela gira o rosto de um lado para o outro, como se a resposta para sua pergunta estivesse em algum lugar da plataforma ou do descampado alaranjado. Não posso deixar Mainha, não posso, não quero ir embora, eu sozinha sem Mainha e Painho, eu vou ver eles tão pouco, é tão longe, não quero ver a cara da Dora quando eu falar, como eu vou falar? Será que eu chamo Amélia, uso

Gameleira-branca

um tom despreocupado, como se estivesse tudo bem, vamos, filha, o ônibus chegou, ou eu pergunto logo o que está acontecendo, se ela quer conversar? As outras pessoas já estão embarcando. "Ei, senhora, vai embarcar não?", "Vou. Só um minuto. Amélia, anda logo." Nossa... eu não sei conversar com ela, talvez seja melhor assim. "Não", "Você não vai?", "Não." Um instante para encher o peito de ar. Respire. Daqui dá pra ver, longe, o início da mata, dá para sentir o cheiro do mar, queria ter pegado uma concha para ouvir o chiado das ondas em casa, estou voltando pra casa. "Está tudo bem, filha. Chegando lá eu te ligo, ok?" Ela não se vira.

Respire. Está tudo bem. Que bom que eu vim. Dora sente alguma coisa que não tem nome. A vida quando acontece. Simultaneamente, Dora, Raquel, Amélia, Janaína. Esse é o nosso fim. Os sinos. Em tempos diferentes, e, no entanto, agora. Estamos além da fronteira do espaço-tempo. Cada coisa vive para morrer, e morre para nascer. Gente volta a ser terra, a ser chuva, a ser mar, a ser força da natureza; integra-se ao espírito alumioso do que transita. Eu me transformo em você. Vou encher aquela casa de plantas, acho que vou colocar uma rede na sala, uma existência indolor, pacífica, conectada, transformando sol na cor verde, crescendo, florindo, vou plantar arruda, alecrim, lavanda, manjericão, patchouli, colher uns ramos quando elas já estiverem com altura, secar no sol, enrolar num barbante, queimar, dentro de uma cumbuca, e assim você estará.

Janaína morreu, Janaína ainda vai nascer, Janaína vai comigo.

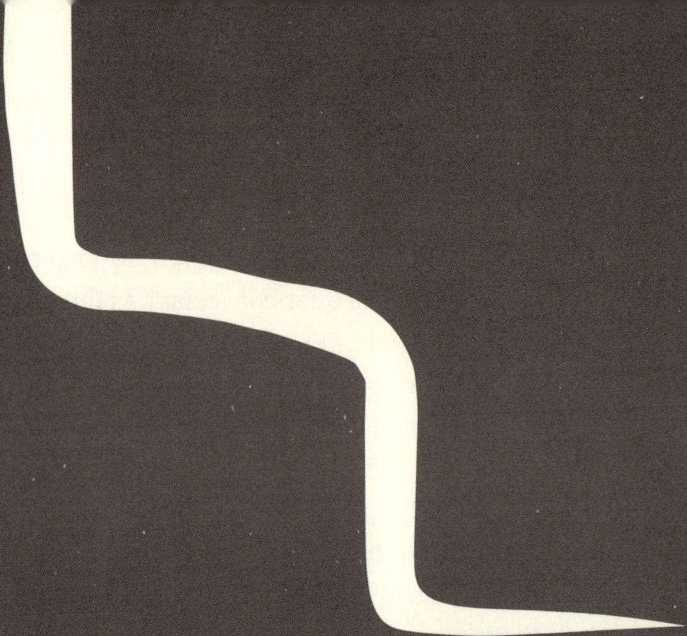

Posfácio

Thais Rodegheri Manzano

As primeiras frases de *Gameleira-branca* são um desafio a ser superado: "Olho para as pílulas sobre a pia do banheiro. Quatro comprimidos brancos. Não tenho dúvidas, mas, ainda assim, medito por um momento, acho que ele merece alguns segundos de hesitação". Inquieta-se o leitor: será um suicídio? Não, não é; é a tentativa de "cura para uma espécie de parasitismo", como revela a protagonista-narradora. Enfermeira de profissão, Dora tem conhecimentos que facilitam a realização dessa "cura". Com um racionalismo que beira a impiedade, descreve o que seria sua vida e a da criança que se recusa a trazer ao mundo, poupando-a de "nascer sem amor de mãe". Cessam as dúvidas: trata-se de um aborto, e sem drama de consciência. Quais as razões para tal frieza? É à descoberta destas que *Gameleira-branca* nos convida.

Nada, nesse belo e bem escrito romance, peca pelo excesso. Nada se subtrai, como o início revela. Ambientes e paisagens são descritos sem acúmulos de detalhes, os personagens são eloquentemente construídos, sem o peso do excesso de adjetivos. A linguagem, sóbria e cristalina, demonstra que não é necessário ser obscuro para ser profundo.

Um telefonema desencadeia a narrativa. A avó de Dora, Dona Janaína, está morrendo na Bahia. Isto a levará de volta à terra natal e ao passado, que sempre esteve presente. E a impelirá à divagação sobre o que une e desune a mulher de trinta anos que ela é e a garota de dezoito que saiu do lugarzinho perdido no mapa para tentar a vida em São Paulo. Reencontrando-se, ela repassará fraturas emocionais e relações não resolvidas. E não poderá se negar a um desafio assustador: o reencontro com Amélia, a filha abandonada há muito. Dora, que rejeitou o papel de mãe, não poderá mais fugir.

Em seu longo e por vezes poético devanear, a protagonista irá se delineando aos olhos do leitor. Uma mulher que se exige demais, não descansa e se exaure em trabalho difícil e de alta responsabilidade. Um tanto impiedosa consigo – assim como foi com aquele que ela decretou não ter o direito de nascer –, revela-se arrogante na sua autossuficiência e na inabalável exigência de se mostrar forte. Altamente reflexiva, examina-se continuamente e tem a coragem de se expor sem disfarces. Com exceção, evidentemente, daqueles que o autoengano impõe a todos os seres. Faltam-lhe a aceitação de fraquezas e a entrega às emoções.

Numa narrativa de linguagem fluida, tempos e espaços diversos se entrelaçam sem cortes, enquanto

Dora revisita sua infância e sua adolescência, expostas em cenas marcantes, nas quais atuam ao seu lado aqueles que foram cruciais em sua formação. Desfilam pais, irmãos, a filha que abandonou, o companheiro, pacientes, e, acima de todos, aquela que foi e continua sendo fundamental em sua formação, a avó. Habilmente construída, Dona Janaína aparece aos olhos do leitor como uma figura excepcional, com dons paranormais, uma sabedoria extraída da relação empírica com o mundo e uma inabalável crença religiosa. Praticante de Umbanda, ela forjou, com seus ensinamentos e exemplo, a mulher forte que a neta se tornou. E será ela, no encontro final, antes da morte, que a levará a se reconciliar consigo mesma.

De volta à vila onde nasceu e cresceu, Dora examina os motivos de ter se tornado o que é. Em criativa cena cinematográfica, ela se coloca como uma espectadora e assiste a si mesma em seu momento decisivo, aquele em que, adolescente, gerou a filha. Ali decidiu-se seu futuro e delineou-se muito de sua personalidade. Com um pouco de dor e culpa, fugiu da Bahia, deixando a filhinha pequena, e fingiu tê-la esquecido. O custo foram as evidentes lacunas emocionais que, enquanto rememora, se tornam prementes e a obrigam a um exame de consciência.

Construiu sua vida em São Paulo, onde encontrou Arthur, um companheiro terno e amoroso. A incapacidade de entrega e de transparência que demonstra em sua relação com ele é uma das sequelas de seus vários traumas. A casa de Dora, com sua decoração minimalista e toda branca, é uma metáfora para sua vida emocional, para seu medo de criar raízes.

A infância maltratada moldou Dora. Com a filha, agora adolescente, repetiu o abandono a que foi relegada por uma família em que o silêncio e a repressão dos conflitos e das emoções eram a regra. Repetiu, apesar de conhecer na carne e na psique seus efeitos danosos. À filha oferece apenas o mesmo mutismo que a feriu e endureceu. Adulta, tem uma desculpa: as dificuldades da vida de uma mulher autossuficiente e de uma carreira na qual sobra muito pouco tempo para si. As figuras de seu passado, mesmo após tanto tempo, ainda são difíceis de assimilar, assombrando-a.

A imagem de sua mãe, Raquel, imprimiu-se em sua memória com suas poucas palavras, sua secura e sua dureza, um espelho do que a vida fez consigo. O pai era mais amoroso, mas quase ausente, tímido demais em suas raras tentativas de aproximação. E Antônio, um dos irmãos, oferece uma excelente rememoração. Em poucas pinceladas, ergue-se com nitidez diante dos olhos do leitor, forte, grosseiro e semisselvagem.

Dos ambientes, bem descritos, veem-se São Paulo, que já não é a da "garoa", mas a do cimento e da vida vertiginosa, e a vila baiana, que surge com sua simplicidade colorida pelas recordações do passado. A modernidade ali chegou, mitigada, mas presente na TV, nos celulares e nas *playlists* de Amélia. A religiosidade, os costumes e as histórias tradicionais permanecem.

A atmosfera é impregnada por uma sutil nostalgia. Registra-se, em frases memoráveis, a percepção da protagonista, que tem olhos e ouvidos atentos para o mundo exterior. Vê-se o colorido do pôr do sol, sente-se o calor dos dias, o frescor do entardecer, ouvem-se os sons dos animais, os ruídos da casa que desperta ao amanhecer; compartilha-se seu temor dos olhos que espreitam na escuridão. Pressente-se o balançar das folhas do limoeiro que um dia Dora plantou e que, por magias da avó, se transformou na gameleira-branca, a árvore sagrada do Irôko.

Sobra silêncio e faltam palavras, assim Dora resumiu sua vida familiar. Já em *Gameleira-branca*, silêncio, palavras, tudo está na medida certa.

THAIS RODEGHERI MANZANO é jornalista, escritora e professora de História da Literatura no curso de Pós-Graduação em História da Arte e também de Escrita Criativa, ambos da Faap. É autora, pela editora Terceiro Nome, de *Artimanhas da Ficção*, *E se a literatura se calasse?* e *O romance na modernidade*.

Impresso em maio de 2021 na Gráfica Loyola
em papel Pólen Soft 80g.